集英社文庫

平面いぬ。

乙一

集英社版

目次　CONTENTS

平面いぬ。

石ノ目

序

　昔々、ある村で風邪がふいた。医療の知識はなく、村人は無抵抗に死を受け入れた。働き手を失い、途方にくれる者。自分以外の家族を皆失った者。

　そして、まだ幼い子供を失ったある夫婦。彼らは冷たくなった子供をむしろに寝かせ、一昼夜の間、悲嘆にくれた。貧しい時代、ろくに食べ物はなく、子供の腕は木の枝さながらに細かった。彼らは子供を小さな棺《ひつぎ》に入れ、見晴らしのいい場所に埋葬してやりたいと思い、二人で棺を抱えて山を登る。ふと気付くと日は沈み、辺りは闇の底。鬱蒼《うっそう》としげる木々が月の光を隠し、夫婦は巨大な暗闇に押しつぶされる。近くに民家はなく、棺を支える手に、子供の軽すぎる体重がかかっている。

　夫婦は背後に、だれかのいる気配を感じた。

かさかさ、かさかさ、と。

妻の方が振り返ろうとする。「木の葉の音だ」と亭主の方がそれを止める。

今度は背後に、人の足音を聞く。どうもそれは、子供の足音のように聞こえる。

とんとんとん、とんとんとん、と。

妻が振り返ろうとする。「こんな山奥に子供などいるはずがない」と亭主がそれを止める。

次に背後で、子供の声がする。どうもその声は、死んだはずのわが子のものである。

お母さん、お母さん、こっちを向いて、と。

子供を失ったばかりの母親は、ついに振り返ってしまう。

子供などいない。かわりに背の高い女が、ぬっと立っている。石ノ目である。死んだ子供の声音《こわね》を真似ていたのだ。

石ノ目の目を見てしまった者は、石となる。妻は振り返ったままの格好で石化した。

男は恐ろしさのあまり目を閉じる。見てはいけない。石になるぞ。

石ノ目の近寄ってくる音。頰《ほお》や腕などをぺたぺたと触ってきた。男は目を開けそうになるのをこらえ、何も見えないまま山を駆け下りる。棺などその場に捨てた。

一

　わたしが父の実家で暮らしはじめたのは、小学校へあがってすぐのことである。それ以前に住んでいた場所のことをよく覚えていない。今ではもう、母の記憶とともに、かすかな残り香を残して思い出から消えている。

　もうしわけ程度、古い映像が一握り頭の中に沈んでいる。それはまぎれもなく父の実家とは異なる場所で撮影され、映像の四隅はもはや暗く変色していた。

　四畳ほどの狭い部屋、木製の滑りが悪い窓枠。壁に飾られた写真。窓から差し込む赤い陽《ひ》と、逆光によるためか、わたしが小さいためか、巨大な影となった母。わたしは寝転がり、子守歌を聞いている。

　成人し、社会人となっても、その古い映像と子守歌の歌詞だけは、決して忘れることがなかった。

　小学生のわたしは母の手を知らずに成長した。父の実家で暮らしていたのは、父とその両親、父の弟、そしてわたしだけだった。

家は山の麓《ふもと》に位置し、極度の傾斜にもめげず森を切り開いたところに建っていた。古かったが、五人で住んでも半分以上が空き部屋という広大な家だった。家の前の道は傾いており、学校へ行く時はよかったが、帰りは苦行となった。道の両脇には時おり、階段状になった水田が見られ、小学校へ行くとき、近道として水田と水田の間の細い道を通った。趣向として、藪《やぶ》の中や、知らない人の家の庭を突き進んで小学校へ通うこともあった。

通学路の分かれ道のところにこぢんまりとしたお堂のようなものがあった。お堂といっても子供の身長程度しかなく、木の茂みになかば隠れてひっそりと、薄暗闇の中に建てられていた。

地蔵がその中で蜘蛛《くも》の巣にまみれており、近くで見ると顔がつるりとしているのがわかる。目がないのだ。だれかが悪戯《いたずら》で削り取ったわけではなく、作られた当初からそうであったもので、よそから来た人間にとっては興味深かったに違いない。少なくとも小学生の活動範囲内で見かけたすべての地蔵には、目が存在しなかった。

わたしは子供ながらに、なぜ地蔵の目がそうでなければならないのか、知っていたような気がする。

当時わたしと友人たちがよくおこなった遊びに、『目隠しオニ』と呼ばれるオニごっこがあった。

まず、じゃんけんでオニを決める。オニは目隠しをさせられ、その状態のまま逃げまどう者をつかまえる。オニがだれもいない方向へ向かっていたら、逃げる者は手をたたいてはやしたて、自らのいる方向を教えなければならない。「オニさんこちら、手のなる方へ」と。オニにつかまったらそこで終わり。ようするに死ぬのだ。

ここまでは普通のオニごっこだが、これにはもう一つの遊び方がある。オニは目隠しをせず、今度は逃げる方が目隠しをするというやり方だ。逃げる者は視界を奪われたままの格好で走るため怪我人が続出した。わたしたちはふつう、これを神社の境内《けいだい》でおこなった。家から五分のその神社は、神様も宿泊を拒否するほどうらぶれていたが、遊ぶには丁度いい広さを持っていた。

目隠しをして逃げる時、手を抜かずに全力で走った。前方に半壊した石灯籠《いしどうろう》があろうと、地面から突き出た木の根があろうと、立ち止まることは許されなかった。オニにつかまった時点で死んでしまうからだ。年に二、三回、骨折する者や歯を折る者が現れた。鼻血を出し、あざを作りながら逃げまどうわたしたちは、はたから見ると異様だったに違いない。

しかし、どのような惨事になっても、この遊びはほぼ毎日繰り返された。その遊びが楽しかっただけではない。おそらく、その地方に伝わっていた昔話のせいもあるだろう。それのせいでわたしたちは、半分、義務や鍛錬のような気持ちで目隠しをしていたのだ。

このように危険な遊びは禁止されなければいけないはずだが、不思議なことに、そうしようとする大人はいなかった。むしろ、衝突による怪我を怖がって全力で走らない子供は、近所の通り掛かった大人にしかられ、死にもの狂いでオニから逃げることを強要された。

目隠しで逃げる練習をしておかないと、石ノ目様から石にされるぞ。

大人はそう言った。祖父や祖母のように年をとった者は、めったに石ノ目という名前すら口にしようとしなかった。もし誤って口にするようなことがあれば、山頂の方角へ手をあわせ、恭《うやうや》しく何度も頭を下げた。

石ノ目。または石《いし》ノ女《め》と書く。

父の実家があるその地方に、昔から伝わる物語だ。何歳のころに、だれから聞かされたのかはわからないが、いつの間にかわたしたち子供は彼女の物語を知っていた。

子供を亡くした母親を振り返らせ、石にする話。山で迷った者が通り掛かりの家へ一夜の宿泊を頼んだところ、そこが石ノ目の家だったという話。石ノ目は人間を石にする目とは別に、本物の目を懐《ふところ》に隠し持っているという話。本物の目を刺し貫かれた石ノ目は、悲しみのあまり自らが石になったという話。

　背が伸びるにつれ、そのような伝承が事実ではないと知らされた。おそらく何かしらもとになる郷土の歴史が、戒《いまし》めや教訓という衣《ころも》をまとい、子供に聞かせるおとぎ話となったのだろう。

　そういうからくりのわかる小学校高学年になると、『目隠しオニ』をする子などいなくなる。もっと高度な遊びに目を向ける。

　近所に住んでいた同級生の子供たちがみんな釣りをはじめたため、わたしも川へ行かなければならなかった。当時、近所に喧嘩の強い男の子がおり、友人たちは皆彼のまわりで遊んでいた。彼が慕《した》われていたというわけではなく、遊びの誘いを断ると後が怖かったからだ。その彼が釣りをはじめたのなら、わたしも同じことをしないわけにはいかない。

　川の流れは速く、大きな石が無作為に転がっていた。川へせり出した巨大な石へのぼり、上から釣糸をたれる友人もいた。川の水は澄んでおり、川底から突き出た石に流れのぶつかる音が耳に心地好かった。しかし釣りは嫌いだった。できれば川になど来ず、家で絵でも描いていたいと思っていた。

　あの夏の日も、そのようなことを思いながら友人たちの輪から外れていった。喧嘩の強い男の子に目をつけられないよう、外見だけは釣りを楽しんでいるように見せていた。釣糸を川に投げ、釣竿《つりざお》を固定する。今にも魚が釣れそうな状態にして、ミミズを探してくるからと皆から遠ざかる。魚が引いたら呼んでねと友人に頼んでおく。しかしそうなることはまずない。釣針に餌をつけていないからだ。

川沿いの道を少し歩いたところに、わたしだけが知っている秘密の場所があった。歩くうちに道は上り坂となり、川と地面の高さが離れて崖のようになったところがある。そこを下りると秘密の場所だ。崖といっても落ちて死ぬような高さではなく、かといって軽い怪我ではすみそうにない、それでも勇気を出して下りると、丁度よく足場があり、さほど困難ではないことがわかる、そんな崖だ。ただし、下には何もない。一面に苔《こけ》が生え、人間が一人、川に足をつけて座るだけの空間があるだけだ。

風がなく、じっとしているだけで汗が出た。真昼の日光が木の葉の影を、明瞭な境界をもって地面に焼き付ける。わたしは崖を下りた。作業には全身を用いるため、半袖《はんそで》からむき出しの汗をかいた腕に砂が付着する。

その場所で引力を体験したのは、その日かぎりのことだった。足をすべらせ、落ちたのである。かすり傷ですんだのは、半分以上、崖を下りきったところからの落下だったからだろう。

左の肘《ひじ》から出血し、胸の中で心臓が速くなっていた。見上げると、足をすべらせた箇所《かしょ》から小石がふってきた。

わたしの体重を受け止めたのは、地面と岩の表面で何十年、何百年と成長を続けてきた分厚い苔の層だった。苔の一部は衝撃のためはがれ落ち、川の流れに乗っていた。この事故はわたしと苔の双方にとって不幸だったと言える。

たった今まで苔が覆い隠していた地面に注目した。剝離《はくり》の後、久方振りに大気を見る湿った黒い地面。そこに、手の形の小さな石の彫刻が埋まっていた。掘り出し、近くで観察してみる。手首から先しかないが、それは紛れもなく子供の手を模した彫刻である。

あまりの精密さに、小学生だったわたしは感動した。少しのびた爪、指紋、骨の筋、産《うぶ》毛《げ》さえあるように思えた。子供独特のふっくらした手の彫刻は、まるで石の内側から空気で膨《ふく》らませたかのようで、触っても弾力のないことがかえって不思議だった。

その手は何のポーズもとっておらず、自然体の形状だった。これから何をつかもうか迷っている最中、という印象だ。それゆえ、手自身が彫刻であることを忘れ、いつか動きだすのではないかと疑った。また、もし動きだしたとしてもわたしはさほど驚かなかっただろう。

わたしはその石を持ち帰り、だれにも言わず、そっと自分だけの宝物にした。

何度も繰り返しその手を絵に描いた。画力はすぐに上達したが、彫刻を見た時に感じたあの今にも動きだしそうな胸騒ぎを、自分の絵から感じることはなかった。

二

霧深い山の奥、同僚のN先生は木の根元に倒れていた。わたしは彼に近寄り、呼吸しているのを確かめる。名前を呼びながら肩を揺すると、二、三度まぶたを震わせて目を覚ました。

「いったい、おれはどうなったんだ……」

「足をすべらせたのです。わたしたちはこの急斜面を落ちてきたのですよ」

二人して、巨大な匙《さじ》で削り取ったような斜面を見上げる。よく命を落とさなかったものだと、学校では生徒から鬼と恐れられているN先生も顔を引きつらせた。

立ち上がろうとして、彼が呻《うめ》き声《ごえ》をあげる。右足が不気味にはれあがり、歩けそうにない。

「大丈夫だ」

彼は脂汗《あぶらあせ》をにじませながら、痛みを隠そうと半分、笑みを浮かべて言った。

実家近くの山にわたしたちはいる。しかし子供時代に遊んでいた場所からは、遠く離れていた。

山頂へ続く獣道。聞こえてきた川のせせらぎにさそわれ、道をはずれたところに、このような斜面があるという知識はなかった。昔からこの山へ登ろうとする人間はおらず、地形に関する情報は乏《とぼ》しかったのだ。そこにはあの女の物語が微妙ながら影響しているに違いない。

歩けないN先生を背負い、斜面を登ることは不可能だった。太陽はもはや傾きかけ、先程まで肌を射ていた先の尖《とが》った日光は、まわりを取り囲む木々に遮られようとしている。あたりが夕闇に包まれる様を、黙って見ているわけにはいかない。

わたし一人で斜面を登り、助けを呼んでくることにした。N先生にはこの場所で数時間まってもらうことになるが、彼は承諾した。

計画は十分で座礁した。斜面の土はもろく、わたしはすり鉢状の砂から出られない蟻《あり》のように、獣道へ復帰することはできそうにない。しかし、道が完全にとざされたというわけではなかった。わたしたちの目の前に、斜面に沿うような形で一本、砂利道が通っている。それがどこへ通じているのかはわからないが、道があるということは通る人間がいるのだろう。

わたしはN先生を背負い、その道を麓《ふもと》の方角へ歩きだした。

夏休みに山へ登ることを彼にもらしたのは、中学校の職員室でのことだった。夏休み直前の慌《あわ》ただしさの中、休暇の予定を彼が尋ねてきたのだ。

わたしたちは同じ町の出身で、母校である中学校で教鞭《きょうべん》をとる身だった。N先生はわたしの一つ年上で、社会科を教えており、学校へはすぐ近所の実家から通勤していた。はじめて彼と話をした時、わたしも実家がこの町の、山の方にあることを告げると、彼は顎鬚《あごひげ》をかきながら今まで崩さなかった顔をくしゃくしゃにしたものだ。

「ああ、あのあたりか。がきの頃、自転車で行ったことがあるよ。それにしても中学生の時、おれとS先生は顔を合わせていたかもしれんな。あんたが柔道部に入っておれば、おれの後輩としてかわいがっていたんだがなあ」

入学当時、美術部の新入部員だったわたしは、現在では顧問である。わたしたちはすぐに気が合い、休日はいっしょに遊ぶようになった。

「夏休みには、毎年、山へ登るようにしているのです」

「山。S先生が疲れるようなことをするとはめずらしい。学校の階段を登る時さえ息切れするくせに」

美術を教えているわたしはその時、生徒の描いた絵を一枚ずつ採点していた。明暗をつける訓練のため、玉子のデッサンをさせたものだ。その絵だけで生徒の芸術能力を判断してしまうことに疑問を感じないではない。しかしつまらない仕事は早く終わらせようと、わたしは速度違反すれすれの速さで点数をつけていく。

夏休みの課題として、生徒に風景画を描かせるつもりだった。まじめにやってくる生徒が、今年はどれくらいいるだろうか。教師のくせに、生徒の描く絵を見るのが嫌いだ。彼らの絵もまた、わたしのものと同じように、動く気配を見せない。描かれた人間がキャンバスの中で呼吸をしていない。そのような絵を見ることに価値はない。

N先生の話にてきとうな相槌《あいづち》をうっていると、いつの間にか、彼もいっしょに山へ登ることになっていた。

登山の理由を話したのは、つい今朝方のことである。

彼は軽装でわたしの家を訪ねてきた。叔父《おじ》が茶を出す。今ではわたしと彼の二人暮らしだった。N先生はよくわたしの家へ遊びに来るため、彼らはお互いに顔なじみだった。三人とも、独身である。

山へ行くのは、母の遺体を探すためだ。そう聞いてN先生は、嬉しそうな顔をした。

「おもしろくなってきやがった」

「よしてくださいよ。こんなことを教師がおもしろがっていたら、不謹慎です」

母は山へ入り、帰って来なかった。そう聞かされたのは、わたしが高校を卒業して三か月後、父が死んだ時のことだ。唯一残った親類である叔父が話してくれた。わたしが小さな頃、病気で死んだというのは嘘だった。

母の笑っている写真が数枚、残されており、二十歳になるまで机に飾っていた。小学生の頃からわたしの持っている母についての知識とは、少ない写真とかすかな記憶、そして彼女が写真家だったということだけだ。

「綺麗な人だったよ、その写真よりもずっと」と叔父は懐かしがるように言う。「あの人はきみが生まれても、写真家として生きることを望んだのさ。当時は全然、有名じゃなかったけど」

父が小さなわたしを連れて実家へもどってきたのは、叔父が高校生の時だったそうだ。夫婦喧嘩。理由は、母が子育てをしなかったため。それだけだった。父とその両親は母の写真に対して理解がなく、道楽などやめて家事をするべきという考え方を持っていた。

しかし母は写真をやめなかった。いつか自分の写真が認められるという自信があったようだ。そのあげくの決裂である。

「あの夜、きみに会わせてくれと、あの人がやってきたんだよ。きみは何も知らずに蚊帳《かや》の中で寝ていたけどね」

玄関の前で母は泣いたそうだ。わたしに会いたいと。

「ぼくの母さん、つまりきみのおばあちゃんがそれを見てこう言ったんだ。だいの大人がみっともない、近所に知られたら恥です、って。母さんのあんな表情は見たことなかったな」

もう一生、あの子はあなたに会わせません。もし近付いたら警察を呼びますよ。

叔父の部屋まで母の泣き声が、しばらくの間、聞こえてきたそうだ。声が聞こえなくなったので窓から見てみると、力が抜けたように地面に座り込んでいた。三時間後にもう一度のぞいた時も、同じ格好でいたという。

「朝にはもういなかった。そのかわり近所の人が噂《うわさ》していたんだ。夜が明ける前、赤い服を着た女の人が山の方へ行くのを見たって」

しかし山からはだれも下りてくる様子がなく、見間違いだったのだろうという結論に達した。父の家族以外は。

目撃された女はおそらく、母だったのだろう。叔父の見た記憶によると、母はあの夜、赤い服を着て玄関の前に立っていたそうだから。子供のことや、世間に認められない写真のことなど、悪い方へ考えが向いてしまい、死ぬことを思い付いてしまったのだ。

母の写真が売れ出したのは、それからまもなくのことだった。出版された写真集を見てわたしは魅了された。分野が違うため正しい評価はくだせないかもしれないが、すくなくともわたしの理想とする写真家に、彼女はもっとも近いところにいた。

「写真集の印税はどうなったんだ？」

押し黙って聞いていたN先生が発言した。

「父が受け取りました。自殺のことはだれにも知らされなかったので、母は現在行方不明の写真家として認知されています」

母の写った写真を彼はじっと見つめる。あの夜に着ていた服装と同一のものだろうか、写真の母は赤い服を着ており、胸に大きなひまわりの刺繍《ししゅう》が見える。やがて溜め息まじりにN先生がもらした。

「それにしてもこら美人だな、おい」

あたりが闇に包まれてしばらくたった。明るいうちに帰るつもりだったため、明かりのひとつも持ち合わせてはおらず、ただ足下《あしもと》の砂利道がぼんやりと星明かりに浮かぶばかりとなる。

N先生は柔道の達人であるが、巨漢というわけではなく、引き絞られた筋肉を持つスマートな男だった。よって彼を背負い歩くことは可能だったが、わたしの貧弱な体はもはや限界に達しようとしていた。

「かたじけない」と、彼はずいぶん前に言い残し、気絶なのか眠ったのかはわからないが、目を閉じたままである。

道はどうやらゆるやかな曲線を描いている。麓の方向へ歩き出したのが、今では逆方向へ向かっているかもしれない。

霧が深くなってきたようだ。

ふと、背後で何か重い物が引きずられていく音を聞いた。首をめぐらして調べてみる。N先生の足だった。わたしは、自分が思っているよりはるかに疲れているようだ。彼を支えていた腕の力が抜け、知らないうちに彼を引きずるようにして歩いていたらしい。

それよりも、怪我しているはずの足を引きずられ、呻き声ひとつあげない彼も心配である。もしかしたら死んでいるのではないかと思ったが、よく見ると彼は目を閉じたまま変な汗をかいている。生きているらしいと一瞬ほっとするも、ゆっくり休める場所を早く探さねばと気は焦《あせ》る。

全視界を遮る霧の中に、針で穴を開けたような一つの光点を見つけた。おそらく人家だろう。いや、人家でなければならない。

N先生を正しく背負い直し、あそこへたどり着いてから気絶しようと気力をふりしぼる。すでに慣性だけで足を踏み出しているような状況で、平らな地面を歩いているようでもあり、敷き詰めた布団の上を歩いているようでもある。

次第に近付き大きくなってくる明かりをかすむ目でとらえながら、わたしは、そのまわりに林立する無数の動かない人影を見たような気がした。

三

老木の香りがわたしの意識を、眠りの淵から現実へと引き寄せる。気付くと布団に寝かされていた。古い布切れが何枚も継ぎはぎされた、手縫いの布団である。ほころび、厚みがない。

民家の一室のようだ。六畳ほどの畳の部屋で、まわりを襖《ふすま》と障子に囲まれている。さきほど感じた老木の香りは、この部屋の持つ古さの匂いだったようだ。木目の浮かぶ天井はすすけており、電灯などの照明器具は見当たらない。すでに夜は明けているようで、覚醒したばかりの目にはまぶしすぎるほど障子の和紙が白く輝いている。

隣にもう一つ布団があり、N先生が寝かされていた。起きている気配はない。規則的で深い呼吸とともに、彼の布団が上下運動を繰り返す。安らかな寝顔だった。布団が小さいのと、彼の寝相が悪いのとが重なり、怪我をした右足があらわになっている。だれかが治療をしたのだろうか、見覚えのない包帯がまかれている。病院で用いられるような市販の包帯ではない。ただの白い布を細長く裂き、代用したものだ。その布もふつうの白さではなく、変色し、黄色がかっている。

全身の筋肉を酷使したことを忘れ、わたしは立ち上がろうとした。ふいに襲う筋肉痛のせいで、小さな呻《うめ》き声《ごえ》をあげる。

いつの間に自分たちが布団へ寝かされたのか、思い出せなかった。記憶にある最後の光景は、昨晩、N先生を背負い、人家と思われる光の方へ向かっていたところまでだ。次第に近付き大きくなる光点と、そのまわりに浮かぶ人影。おそらくわたしは、この部屋へ案内される前に力尽きたのだろう。

ゆっくり、素早い動きを要求しないよう筋肉をいたわりながら立ち上がる。この家の住人に礼を言わなければならない。

障子はまるで空中をすべるかのように、滑らかに開いた。まず廊下が部屋の前を横切り、その向こう側に庭が広がる。

一瞬、自分は雲の中にいるのだと思った。霧が濃い。二十歩も歩けば迷子になるだろう。見える範囲で確認したところ、庭一面に砂利が敷き詰められており、霧でぼやけた木の影が数本ある。どこまでが庭なのかわからないが、相当な広さを有しているようだ。廊下から直接、庭へ下りられるようにとの配慮か、足下《あしもと》にわたしとN先生の靴が並んでいる。家から少し離れた場所に灯籠《とうろう》と思われる影が、異常な数、林立している。わたしの目はそれに惹《ひ》かれた。並び方に規則性はなく、大きさにも統一性が見られない。家を取り囲むように立っている。霧の中、形状を詳しく知るためにはもっと近寄らなければならない。わたしはそうしたかったが、今は後回しだろう。

住人を探しに廊下を歩く。床板は乾燥し、白い粉さえ浮いていそうである。木目が凹凸《おうとつ》を作り、足の裏側を刺激する。長い板が廊下の伸びる方向へ縦に並んでいるのではなく、短い板がずらりと横向きに打ち付けられていた。古い民家というよりは、お寺に近い印象を受ける。歩いてもきしむ音がないのは、床が分厚く弾力のない木でできているためだろう。

広大な家だった。歩数を数えながら歩いていたが、なかなか家の端へたどり着かないため、いつしか数字を忘れてしまう。左手に庭、右手には障子と木の壁による家の側面が続く。人の気配はない。声を出し、呼んでみる。返事はない。

やがて廊下は家に沿って曲がる。障子は全て閉じられており、開けて中を確認したが、人の住んでいる様子はなかった。

廊下の末端は唐突に現れた。床がとぎれ、その先は土間である。炊事場のようだ。ひやりとした湿気の中に、鼻孔《びこう》をくすぐるいい匂いを感じる。石のかまどに大きな土鍋がかけられ、湯気を立てていた。匂いのもとはそれだ。家が無人でないのは確かである。鍋の中には山菜入りの雑炊《ぞうすい》が見えた。

土鍋の他は冷えて閑散としたものである。棚のたぐいはなく、食器や鍋は直《じか》に地面へおかれている。食器のほとんどは木でできている。中には陶器のものもあったが、欠けたりひびが入ったりで使えそうにない。部屋の隅にむしろが敷かれ、土のついた野菜が山になっている。まな板があり、所々さびた包丁がのっている。

炊事場から一番近い部屋の障子が開いていた。悪いと思いながら中へ入る。古く擦《す》り切《き》れた畳は、踏むと柔らかく足が沈んだ。広く、殺風景である。しかし他の部屋と違い、どこか人間の生活感をわたしに感じさせた。

部屋の片隅に小さな木製の台があり、それぞれ長さの違うろうそくが四本たっている。近付いてその前にひざをつく。よく見ると、台には溶けて流れたろうの跡が無数に付着している。ろうそくに囲まれるようにして、小さな木の箱が置かれていた。平たい形状で、ちょうど本が一冊入る程度の大きさである。

仏壇だろうかと考えた。ろうそくはまるで、平たい木の箱を祭っているようにも見える。

木の箱を手にとる。空気しか入っていないような、手応えのない軽さ。小さな留め金があったが、かんたんにはずれそうである。中を見たい。

「あなたがどちらからいらしたのか存じませんが……」唐突に背後から、しわがれた女の声がした。

「勝手に人の部屋へ入ることに良心の呵責《かしゃく》を感じませんでしたか」

住人だ。わたしはばつが悪くなり、箱をもとに戻した。

「申し訳ございません。ついさきほど目が覚め、わたしと友人の命を救ってくださった方に一言、感謝の言葉を述べたいと思い、まことに勝手ながら家の中を歩かせていただいていたところです」

振り返り、恩人の顔を拝見しようとする。

「そのまま」

ぴしゃり、と女が言う。わたしは頰《ほお》をはられたように、相手へ背中を向けたまま動けなくなる。

「さしたる理由はないのですが、わたしは人に顔を見られることをよしとしません。誠に勝手ながら、そのままの格好でお話ししていただけると幸いでございます」

言葉尻は丁寧だが、女の言葉には有無を言わせぬ迫力があった。首筋にぞわぞわとしたものが走り、背後に感じていた人間の気配が、突然はっきりとした圧力でわたしにのしかかる。彼女の申し出を奇妙だと思ったが、理由をたずねることまで頭がまわらない。ただ、わたしばかりが背中を見られているという状態に不安と困惑を覚え、なんとか相手と向き合えないものかと願う。

「行き倒れになっているところを介抱してくださった恩人に対し、このまま背中を向けていることに心が痛みます。あなたのお顔を拝見することを、どうか許していただけないでしょうか」

返事をしないまま、女はわたしの背後に衣擦《きぬず》れの音をさせてすわる。その音は、お前の意見など最初から聞くつもりはないのだと言いたげである。わたしは彼女に背を向けたまま、仕方なく正座をする。

女が昨晩のことを話し出す。大体においてわたしの予想した通りだった。

会話の相手が前方にいないため、目線が定まらない。居心地の悪さを感じながら、目を閉じることで妥協する。視界をなくしたことでよりいっそう、女の存在感が膨《ふく》らむ。彼女のしわがれた声がわたしの鼓膜を震わせる。おそらく彼女は相当、年をとっている。言葉遣いだけならば礼儀を重んじているように聞こえる。しかし、なぜかわたしは彼女の話し方に、相手を無理やりにでも従わせようとする厳しさを感じた。敵意とも言えるだろうか。それほどではないにしろ、相手に心を許させない何かがあった。

　山で遭難し、散々歩いたあげくの果てにここへたどり着いたと女に説明する。

　次第に部屋が重苦しくなってきた。彼女のすわっているあたりから、部屋の空気が凍《い》て付《つ》いた固体へと変質していく。肌がざわつき、振り返りたくなる衝動に耐える。

　わたしと女は少しの間、会話をかわしたが、やがて彼女がそれを打ち切り、立ち上がる音をさせた。どうやら奥の部屋へ入ったようだ。つい安堵《あんど》の溜め息がもれる。

「わたしが隠れている今の間にこの部屋を退出し、お友達のもとへお帰りになるとよいでしょう。もうしばらくしたらお食事にしたいと思います。なにぶん、ここは山奥のため、質素なものしか用意できませんが」

「いいえ、あなたのあたたかいお心遣い、もう十分、感謝しております」

　部屋を出てはじめて気付いた。わたしは全身にびっしょりと汗をかいていたのだ。

　自室へ戻るが、N先生はまだ眠りの中にいた。

　靴を履《は》き、庭へ出ることにする。はじめて家の外観を見たが、古さと大きさに改めて驚かされる。二階はない。

さきほどの女、顔を見せられないことにどのような理由があるのだろうか。やはりそのことが頭をもたげてくる。砂利を踏みながら、一つの仮説を立ててみるも、あまりの突飛さに我ながら苦笑する。

電話をかしてくれないかとたずねた時、うちに電話はないと女に返された。

「残念なことをお話ししなければなりません。麓《ふもと》へ下りる道はけわしく、お友達を背負ってではつらい旅となりましょう。お友達のお怪我が回復いたしますまで、どうかここを我が家のようにお使いください」

見たところ、この家には電気も通っていない。女はいったい、どのように生活しているのだろうか。麓の村と交流しているのだろうか。

乳白色の霧はいまだ濃く視界を包み、ふと自分がまだ眠りの中にいるような錯覚を起こさせる。次第に家は霧の中へ埋没する。かわりに遠くから見た時ははっきりしなかった灯籠らしき影が、輪郭を明瞭にしはじめる。

近付いてわかった。家を囲むようにして立っていた無数の影は灯籠ではない。石である。人間の形を模した石だったのだ。

気が急《せ》いていたため、つい力の加減を忘れて障子を開けてしまった。勢いよくすべった障子は爆竹が鳴ったような音をたてる。

N先生が目を開けた。なぜ自分が布団に寝かされていたのか、おそらくもうしばらくは理解できないだろうと思ったが、違った。彼はゆっくり上半身を起こしながら、

「どうやらおれたちは、運がよかったらしいな」

と右足の包帯を手で触る。わたしは彼に、女のことを説明した。

「どう思いますかN先生、女が顔を見せないことを。やっぱりあの女は……」

「目を見ると石になるっていうあれかい？　馬鹿いえ、そんなもの、本当にあるもんか」

呼吸の荒いわたしを制するように、彼は鼻で笑った。

さきほど見た石のことを説明する。彼は開いたままになっている障子から、ちらと外を眺める。

「その石像は、もともと動いている人間だったのが、あの女の目を見て石にされたものだって言いたいのか？」

石像という言葉がわたしの心を揺さぶった。石像とは、石を刻んで作ったもののことで

ある。あれらをそう呼んでかまわないのだろうか。霧の中から浮かび上がる人型の石。はじめてわたしの目に飛び込んできたのは、歩く格好をした若い男の石だった。背丈はわたしと同じくらいで、撫《な》で肩《がた》だ。顔の皮膚の微妙な盛り上がりが、苦渋に満ちた表情を表現している。どこかしら疲れきった様子だ。考え事をしながら歩いていたところを、ふと神の鋏で切り取られ、石の入れ物へ入れられたとしか思えないほど、奇跡的な造形である。

石の内側に筋肉の筋が通っている。彼自身はまだ考え事をしながら歩いているつもりである。わたしは目の前のものが石であることを忘れ、そう錯覚してしまう。

触ってみた。霧のせいなのか、石の表面についていた細かな水滴が、指先を湿らせる。弾力がないことにたいして、やはり驚かされる。当然わたしは、子供の頃、川で拾った手の石を思い出していた。もしこれらの石が何者かの天才的な感性により彫刻されたものなら、おそらく制作者は同一人物だろう。しかし、もはやわたしはこれらの石がふつうの過程を経て作られた彫刻ではないと確信していた。

老人の形をした石があった。その爺さんは地面にあぐらをかき、しわだらけの顔に笑みをうかべている。まるで畑仕事の合間に休憩をとっているような、一瞬の表情である。右手を額のところへ持ってきて、汗を拭《ぬぐ》っているようだ。石の表面についている水滴が老人の汗だったとしても、わたしは疑わない。

老人の右手と額の間は、どうやらつながっていないようだ。よく見ると、薄い紙が一枚だけはさめるほどの細い隙間《すきま》がある。一塊《ひとかたまり》の石からノミだけで彫る場合、このような仕事は無理なのではないかと思われた。彫刻刀の入らない指の間にも、しわの凹凸が確認できるのだ。

女の石。子供の石。あらゆる格好、表情の石が限りない数、立っていた。それぞれは密集することなく、また孤立することなく、十歩程度の間隔で置かれている。

髪の毛の一本まで石である。当然、強く押すと崩れた。

大きな特徴がもう一つある。

「ほとんどの石は服を着ていませんでした。裸だったのです」

「なるほど、おもしろい」

わたしはN先生に、なぜ石像が服を着ていないのかについての考察を述べた。要約すると、人間が何か特殊な力によって石へ変化させられる場合、身に付けているものまで石にはならないのではないかという考えである。

「もし、あの女が本当に石ノ目なら……」

庭に立っている石像たちは、女の目を見て石にさせられたのだろう。しかし服などは石へ変化せず、そのまま残った。長い時間が経過するうちに服は風化し、破れ落ちた。最後には裸の石像が残ったというわけだ。

「しかし、服がそんなにかんたんに消え去るものだろうか。たとえ雨ざらしになっていたとしても、跡形もなくなるとは思えないが」

N先生は、この家の住人は石ノ目ではないかという点を疑問視していた。

「庭の石を全部見たわけではありませんから、服を着たものも中にはあるかもしれません。しかし石像が裸であるのには、何か理由があるのではないでしょうか」

「S先生の話に付き合って発言するが、この辺一体が大火事にあったとも考えられる。服はその時に焼けてしまったのだ」

「女がはぎ取ったのかもしれません。何のためにそうしたか不明ですが」

「そうかもしれん。いや、きっとその通りだろう。この家に住んでいるという女がはぎ取ったのだ。女は服が、布が欲しかったのさ」

「どうしてですか？」

「S先生の見た様子では、この家の文化水準は相当低いらしい。目の前でまだ着られる服が朽《く》ちようとしているのを、黙って見ている理由はないだろう。はぎ取ってぞうきんにでもするさ。この継ぎはぎの布団も、もとはだれかの服だったかもしれん。しかしおれは石ノ目などいないと思っている。今、言ったことは聞き流してくれ」

わたしたちは何気なく布団を見る。種類の異なる布を繋いだだけの、おそらく女の手作りと思われる掛け布団。二人同時に、あるものに気付いた。

布団の一角に、赤い部分があった。そこだけ赤色の布が使われており、大きなひまわりの刺繍《ししゅう》が確認できる。どこかで見た刺繍。それは写真の中で、母が着ていた服のものと同一である。叔父《おじ》は確かに言っていた。あの夜、母は赤い服を着ていたと。

もしあの女が石ノ目だとするなら、今、わたしたちが見ているものは、母が以前この家へ来たことを示している。彼女は石にされ、現在も庭のどこかに若いままの姿で立っているはずである。

母の決定的な死の証拠を突き付けられたに等しい。そう考えたのか、N先生がわたしをいたわるように見た。

むしろ逆だった。母が時間の束縛から切り取られ、永遠の美を石の中に保ち続けているという可能性に、わたしの胸が次第に高鳴っていくのを止められなかった。

「お食事ができましたが、もしよろしければこちらへ持ってまいりましょうか」

女のしわがれ声が部屋の外から聞こえてきた。障子は開いていたが、女は遠くから呼びかけているらしく、わたしたちから姿は見えない。身を乗り出して女を見ようとするN先生を、わたしは真剣に止めた。彼ははじめてその声を聞いたはずだが、臆せず発言する。

「わたしはさきほどようやく目を覚ましたNというもので、ちょうど友人のSからあなたのやさしさを聞き、いたく感動していたところです。あなたがここへ食事を持ってこようと言われたのも、わたしの足の怪我を思ってのことでしょう。しかしそれではまるで、あなたが給仕のようではないですか。お願いです。あなたと同じ時間に、同じ場所で、同じ量の食事をさせていただきたい。これ以上の賓客扱《ひんきやく》い、わたしは実に心苦しいばかりなのです」

三人、同じ部屋で食事をしようという提案である。わたしは気乗りしないことを彼に身振りで伝えた。

「おれはあの女のことをよく知りたいんだよ」

彼は目を輝かせ、小声で答える。

女は一瞬、考え事をするように間《ま》をおいた後、その提案を受け入れた。その時の彼女の声の響きは、まるでN先生の好奇心を見通し、子供の遊びを一つ上の段から興味深く観察しているような印象だった。

「すでにS様の方からお聞きになっているかもしれませんが、決してわたしの顔を見ませんよう、ご注意お願いします」

食事の用意をする部屋の位置をわたしたちに教え、女は帰っていった。

彼女の声から感じた余裕しゃくしゃくとした雰囲気のことを、N先生に尋ねてみる。女からそのような印象は受けなかった、と彼もまた余裕で答えた。

N先生に肩を貸し、食事の用意される部屋へ行く。彼への意地悪のためか、その部屋はわたしたちの寝ていた部屋とは正反対に位置していた。古くてぶよぶよした畳に、使用するとかえって不愉快な気分にさせられるような座布団が二つ並んで用意されていた。

座布団はいずれも壁のそばに敷かれており、その隙間は三十センチメートルほどしかない。そこに盆の代わりと思える木の板が置かれ、上に二人分の食事がのっている。食事の方に顔を向けてすわれば、部屋に背中を向けることになる。それが女の意図だろう。わたしたちは目の前が壁という状態ですわる。友人は怪我のため正座ができない。

視界のほとんどはひびわれた土の壁である。

背中の方から、障子の開閉する音がした。女だ。見てはいけない。

「一緒にお食事をとりたいというご希望でしたので、はしたないとは思いますが、わたしは後ろの方で食事をとらせていただきます」

どうやら女は、部屋の反対側に、わたしたちとは背中合わせとなる格好ですわったようだ。本当にそうであるのか自信はない。彼女がすぐ背後に、料理以外の目的で包丁を持って立っていたとしても、振り返る勇気などわたしにはない。刺されるまで何も気付かないだろう。そう考えるとわたしは緊張し、首筋の大きく露出した服など着なければよかったと思う。

炊事場をのぞいたとき土鍋で湯気をたてていた雑炊、それ一品だけがこの家で食べた最初の食事だった。薄味だ。

家の主人に背中を向けた状態という、異常な様相で食事がはじまる。しんとした部屋の中、歯応えのない雑炊を咀嚼《そしゃく》する音さえ聞こえる。わたしは壁面に走っているひびから目を離せぬままである。緊迫していた。

汗が出てくるのは、食事が熱かったせいだけではない。N先生と女の、お互いの動向をうかがうような沈黙が、交わってもいない視線の火花をわたしに見せていたのである。どのような音も立てまいと、静かに少量ずつ噛んで飲み込む。最初に食事を終えてしまうと、空の食器を下に置き、なんらかの動きを示さなければいけない。それが怖い。高く積み上げた石が溜め息ていどの風で崩れ去るように、誤った小さな動きが彼女の創作意欲を刺激し、また新たな二体の石像を完成させないとも限らない。

幸いにも食器はすべて木製だ。陶磁器の茶碗独特のチンという先の鋭い音がしないため、わたしの小さな心臓が驚きで止まることはない。

「おかわりをいただきたい」

突然、N先生の声が、その部屋にわずかしかなかった音までかき消した。

女が返事をするまでの間、わたしは呼吸が止まり、箸《はし》は空中に固定された。

「はい、今すぐ」

女が立ち上がり、わたしたちに近付いてくるのがわかった。突然、目の前の壁に彼女の影が浮かび、はっとさせられる。やはりいる。声だけの存在ではないのだ。

N先生が壁を向いたまま、手を後ろへまわし、お椀《わん》を渡す。

「差し支えなければ、一つお教え願いたいのですが」女が返事をする間もなく彼は続けた。

「あなたは石ノ目ですか」

数秒間、何も起きなかった。わたしはあいかわらず、箸を空中に保っていたが。

「まあ、何をご質問されるかと思いましたら、あなたも皆様と同じことをおっしゃられるのですね」

女の声は驚いているようではなく、冷ややかで、なおかつおもしろがっているようである。その声が、壁のひびの暗い奥底から、白い歯をむき出しに響いてくるという錯覚を抱く。

「他にも、同じことを質問された方がいらっしゃると？」

「はい」

「その方はどうなりましたか？」

「ちょっとした不注意があり、今はお庭で固まってらっしゃいます」

女はその言葉を言う時だけ、わたしたちの耳もとに口を近付けたのだろうか、頭の中によく響いた。

「それは自らが石ノ目であることを肯定しての発言でいらっしゃいますね。わたしはそのようなものは伝説だと思っています。あなたの言葉は簡単に信じられません」

「ではわたしの顔を、ご覧になりますか」

N先生が答えるまでに、長い時間がかかった。いいえ。彼がそう言うと、女はおかわりを持ってくるためだろう、部屋を出て行った。

横目でN先生を見る。彼と目が合った。

「やはり万が一ということもあるじゃないか」

彼は照れくさそうな笑みを浮かべた。

「ということはあの女が石ノ目であることを認めたのですね」

「いや、認めてないぞ。顔は見ないけど」

女がおかわりを持って、わたしたちの背後に再び立った。まさか足に目がついているわけではあるまい。あごを極限までひいて、それと気付かれないよう横目で彼女の足を見る。

醜く年老いた足先が見えた。靴下など履いているはずもなく、岩石にノミを入れそこなったような深いしわに包まれた足である。

四

その家で暮らしはじめ、麓《ふもと》との連絡がとれないまま一週間がすぎた。N先生の足は幸い、折れてはいなかった。杖を使えば一人で歩けるまでに回復しているが、山道を歩けるまでにはなっておらず、もうしばらく療養する必要があった。

いや、彼の足が治っていたとしても、わたしはまだこの家を出るつもりはなかった。母を探すという、この山へ来た当初の目的を達成していない。

陽《ひ》が昇り、立ち込める霧が黄金《こがね》色に輝く。完全に霧の晴れる日はなく、まわりを囲む山が影のように見えるだけである。わたしは立っている石を一つ一つ調べ、母を探す。石の数は多い。その上、石像たちは服を着ておらず、見た目の変化に乏しい。繰り返し同じものを調査してしまうという事態が起こりうるため、すでに見たものには印をつけておく。彼らの足下《あしもと》の砂利に、わたしの名前の頭文字であるSという記号を描いておくのだ。

母は容易に見つからなかった。一日、そうして広大な庭を歩きまわっていたわたしは、また一つ石像の足下にSを描き、すわって休憩をとる。たった今、Sの印がつけられた石像は、跪《ひざまず》き、夕日の方向をぼんやり見上げた若い女の姿をしている。彼女が服を着ていれば、いつの時代の人間だったかわかっただろう。穏やかな表情が印象に残る。長い髪の毛が、風にゆれた瞬間の形を維持したまま石となっている。およそ人間の手では再現できない一本一本の髪の毛の美しさに、わたしはつい手をのばしてしまう。触れたか触れないかのうちに、針のような石は折れて砂利の上に散らばる。胸に軽い後悔がよぎった。

女の見ている方向へ目を転じる。丘になっており、ゆるやかな傾斜を見下ろす形である。余計なものは何もなく、霧の許す限り見えるものは、砂利と、地面を埋め尽くす無数の石像だけである。無音の世界がどこまでも続き、もはやここは人間界ではない。

わたしは立ち上がると、立ち並ぶ石像をまた一つずつ調べはじめる。

動きを止めた何千という人間。最初にその光景を見た時の衝撃は忘れ難い。石像たちの中から母を見つけることの困難さがわたしを絶望させ、また一方では感動さえさせた。

わたしは母を探すかたわら、近隣の探索をおこなった。結果、この場所が山に囲まれた盆地であることと、麓へ下りる道がないことを知る。

女の家の前を、砂利道が一本横切っている。そのうちの片方からわたしとN先生がやってきたのだ。ではもう片方はどこへつながっているかというと、道は巨大な円弧を描き、社会科教師と美術教師を飲み込んだ斜面のそばを通り抜け、また同じ家へと戻ってくる。すなわち、この霧深い盆地のまわりを、一本の砂利道が巨大な輪を描いて取り囲んでいるのである。道をどちらへ向かって歩こうと、必ず女の家へ行き着くようになっていたのだ。一周を歩くのに、丸一日かかった。砂利道の片側は常に盆地の中心を向いており、視界のほとんどが何もない砂利と石の世界である。しかしその殺風景な世界も無限ではない。歩くうちに雑木林となり、畑や水田が現れる。目が灰色以外の色を思い出し、食事の材料となる収穫物に気付く。N先生を背負ったあの日、太陽の出ているうちに見えた風景はそのあたりだった。

盆地の外側は、ある場所では急斜面であったり、踏みいることの不可能な木の密集した壁であったりした。自然の作った檻《おり》であり、一度入ってしまうと外の世界へ出られない。途中で一か所、道は橋の上を通る。短い石製の橋である。苔《こけ》が表面を三分の一ほど覆い、下には細いが流れの速い川が見えた。女の家での食事に、一度だけ魚が出たことがある。川に網をしかけているにちがいない。

女は麓へ下りる道を知っていると言った。はたしてどこにそのような出口が隠されているのだろうか。どうやら彼女は、お友達の怪我が治るまで、という理由で教えてくれる気はないらしい。

女との食事はあいかわらず心臓に悪かったが、どうやら料理の味を楽しむ程度には耐性がついていた。壁に向かって正座し、食事に出された桃を食べる。家のまわりに五本の桃の木が生えており、常に食べ頃の実をみのらせている。そこでとれた桃は、甘く、渋みのない、理想の味である。

時々、食事の最中に、女は麓の様子をたずねた。いや、人間界の様子、と呼んだ方がよいだろう。わたしとN先生が科学の発達ぶりを説明する。彼女はだまって聞いた。どのような顔をしているのか、当然、わたしたちにはわからなかった。このような山奥で生活する者にとって、はたして外の世界はどのように映るものだろうか。

「麓の様子をお聞きしまして、わたしは驚きを隠すことができません。お二人のご説明によると、大勢の、数えきれない人間が生活なさっているとか。わたしには想像できません。そのようなたくさんの人間が、一斉に動き、喋っているだなんて、お二人には怖くありませんのでしょうか」

女に、母親のことを告げる。そのまま黙っていることに利点があるとは思えなかったからだ。

「ここへいらっしゃった方は、皆、石になりました。S様のお母様も、おそらくは。もしよろしければ、裏にある蔵をご覧になるといいでしょう。鍵はかかっておりません。石になった方々のお持ちになられていたものが、そこに納められているのです」

重いものを転がすような音を立てて、蔵の扉は開いた。様々な臭いがいりまじる空気に、呼吸する度《たび》、胃が痙攣《けいれん》しそうになる。

わたしは実家の蔵のことを思い出す。畑仕事に使う耕耘機《こううんき》などに混じって、玉葱《たまねぎ》や芋《いも》が保管されている。藁《わら》が辺りに散らばり、実家のもひどい臭いだった。

巨大な蔵はお屋敷ほどもあり、中は真の暗闇。明かり取りの窓はなく、わたしが扉を開けるまで密閉状態だったらしい。霧のせいで弱められた日光が、薄く入り口から照らすと、乱雑に積み上げられた品々が壁を作り、中を入り組んだものにしている。古い時代のものばかりがそろっており、触ると崩れて砂になりそうである。

広い空間を、さすがの太陽も全部照らしだすことはできず、わたしは明かりをつけることにする。持ってきた火打ち石と火打ちがねを用い、燭台のろうそくへ火をともす。女からもらったものである。この家に電灯はなく、どうやら女も夜はろうそくで明かりをとっているようだ。

しばらく中を歩いてみるが、すぐに自らの居場所がわからなくなる。天井は高く、暗闇で、ここはまるで宇宙空間に作られた迷路である。心許《こころもと》ない燭台の明かりで母の持ち物を探すなど、仕事の困難さは、藁の山から一本の針を探し出す作業に等しい。そもそも母が何を持ち合わせていたのかわたしは知らず、何も持たずに山へ入ったという可能性も高い。持ち物が見つかったからといって、石になった母の居場所がわかるわけでもなく、この家に彼女が来たことの裏付けにしかならないのである。

無駄足だったとN先生に報告するため、蔵を出ることにする。彼は怪我を治すために部屋でじっとしていなければならないのだが、最近では好奇心に負け、石になった人間を見るために散歩している。女から渡された、仙人が持つような木の杖を使って。彼自身は今でも、石がもともと人間だったという説を認めようとはしなかった。

入り口の側《そば》へなんとか戻り、燭台のろうそくをふき消す。炎が一度大きくゆらぎ、消える。一瞬、明かりが何かに反射した。遺跡の中で電灯のスイッチを見つけたような驚きである。

反射のもとは雑然と積まれた中に半分埋もれていた。時代物のポラロイドカメラである。ストロボの反射鏡にろうそくの明かりが反射したらしい。

引っ張りだそうとすると、上に載っていたものが崩れ落ちる。カメラには紐《ひも》がついており、それにつかまって離れまいとするように女物のバッグが絡まっていた。わたしはそれらを見た途端、だれの持ち物だったかを知った。カメラは壊れている。バッグの中には古い写真が一枚と、コンパクトしか入っていない。しかしそれで十分だ。

コンパクトには鏡がついていた。もしかしたら役に立つかもしれないと思い、持って行くことにする。この家には鏡がないことに気付いていた。なぜ鏡がないのか、不思議とは思わない。

写真は部屋の中で撮ったものらしい。母と子が笑っている。わたしは背景にある部屋の風景をぼんやり記憶している。目を閉じると、鼓膜の内側になつかしい母の歌った子守歌の歌詞がよみがえる。わたしは写真を懐《ふところ》にしまった。

「あの石たちはもともと人間だった、と信じる気持ちはわかる。おれもあいつらを見ていて、正直なところ気持ちが悪かった」

「そうですか、ぼくは逆に感動してしまいましたが」

自室である。N先生は包帯を取り換えながら、肩をすくめて笑ってみせた。

「おれは昔から、リアルな絵とか彫刻が苦手でね。特に音楽室に飾ってあったベートーベンとかピカソの絵、あれは嫌いだった。福沢諭吉の絵は好きだがね」

「お札ですね。いや、それよりも、音楽室にピカソの絵はないでしょう」

彼は自分の足に、女の調合した軟膏《なんこう》を塗っている。よく効くらしく、足の腫《は》れはもう目立たない。

「ともかく、おれはまだあの女が石ノ目だと信じたわけじゃない。彫刻のことはよくわからないが、おれはあの石たちが人工物であると考えている。なあ、目をあわせると石になるなど、正気の沙汰じゃないぞ」

「でも、女の顔を見ないのでしょう」

「それは見ない。おれはこれでも臆病なんだ。だが、もしもおれ自身が石になるようなことがあれば、その時は石ノ目の存在を信じてやらんこともない」

食事の時間となる。

N先生は女に、毎日をどのようにすごしているのかをたずねた。

「いつもは畑か、自分の部屋におります。もし、わたしが畑にいるようであれば、不用意に近付かない方がよいでしょう。たとえ遠くからでも、わたしと目があってしまったが最後、石になってしまいますから」

女はいつものしわがれ声で答える。N先生はどう感じているのかわからないが、わたしは彼女の言葉を聞く時、一言一言に緊張する。神の言葉を聞く巫女《みこ》などがもしいるのなら、今のわたしに似た恐れを毎回、体験していることだろう。

恐れ。今のうちはまだいいが、この先、どんなことを言われるかわかったものではないという恐れ。

「あなたには本当によくしていただき、どんなに感謝しても足りません。わたしの足の腫れがここまでひいたのも、あなたの作った軟膏のおかげです。しかし、まだわたしには、あなたが本当に石ノ目であるとの確信が、今一つないのです。そこでお願いです。わたしたちの目の前で、何かを石にする瞬間を見せていただきたい」

彼の提案に、わたしは箸《はし》を取り落としそうになった。

「N様、あなたは愉快な方でいらっしゃいます。しかし、そのような申し出はどうかひかえていただけないでしょうか」

「わたしの好奇心、それではすわりがよくありません。あなたにご迷惑をおかけするのは、もうこれで最後にいたしますので、どうか」

しばらくの間《ま》をあけ、彼女が返事をする。

「N様がそこまでおっしゃるのなら、わたしも考えを改めましょう。お食事が終わり次第、玄関近くに立っておりますす桃の木のそばへいらっしゃい」

わたしたちは言われた通り、桃の木の前に立った。女はまだいない。

「そのまま、桃の木の方だけを見つめているのです」

後ろから女の声。砂利を踏む音が背後に近付く。見てはいけない。

「もうすぐ、小鳥が桃を啄《ついば》みに来ます。それを……」

石にしてさしあげましょう。

彼女の声が耳のそばで聞こえる。呼吸の音が空気を伝わってくる。わたしは振り返りたくなる衝動を、桃の木を凝視することで抑えようとした。

女の言う通り、やがて一羽の小鳥がやってくる。白いやわらかそうな羽を持ち、小刻みに枝の上を跳《は》ねる。首をいそがしげに動かし、枝からぶら下がる熟した桃に飛び乗る。澄んだ声でさえずり、自らが乗っている桃を啄みはじめる。

小鳥が一瞬、こちらを見た。正確には、おそらくわたしの背後に立っているであろう女の目を。

何が起こったのか、すぐにはわからなかった。一瞬で桃が枝から切り離され、地面に落ちたのだ。小鳥をのせたまま。

「わたしは畑のお仕事がございますので。それからN様、足のお怪我にさわりますから、あまり出歩かない方がよろしいかと思います」

女の立ち去る音。

わたしとN先生は、地面に落ちた桃を調べる。落ちた拍子に、小鳥と桃は離れ離れになっていたが、確かに落ちる瞬間、小鳥は桃に乗っていた。桃は何ともなっておらず、小鳥の啄んだ跡と、落ちた拍子に傷ついた跡があるだけだ。しかし小鳥の方は、さきほどの姿勢のまま動かない。色も白から灰色へ変化している。石になっているのだ。

持ってみると、やはり石であることが実感できる。やわらかそうな羽も硬い石となり、あったはずの体温も消えて冷たい塊となっている。何より、重い。

「桃が落ちたのは、その重さが原因だろう。生きていた時は軽かったが、比重の大きい石に突然、変化してしまった。桃はその重さの変化に耐えることができず、落下してしまったのだ」

N先生が淡々と説明した。

「あの女の力、認めますか?」

彼は少し悔しそうにしながらも、目を輝かせていた。

「いやだ、決して認めんぞ。これは夢に決まっている。それならば、どこまでが夢であるかを見極めてやる。かえって好奇心がうずいてしかたがねえな。ところでS先生、いつかあの女の部屋で木の箱を見たと言ったね」

「この家ではじめて目を覚ました時のことです。住人をさがして歩きまわっているうちに、あの女の部屋へ入ってしまいました。その時、小さな木の箱を見たのです」

「なあ、石ノ目ってやつには、地方によって色々な伝説がある。例えば……」

「生物を石にする目とは別に、本物の目を懐に隠し持っているという話ですね」

「そして、本物の目を刺し貫かれた石ノ目は、悲しみのあまり自らが石になったという結末さ」

「箱の中には、あの女の本物の目が入っていたと言いたいのですか!」

「大切に、祭るようにして飾ってあったのだろう? あの女がよほど大切にしているものが、あの箱の中に隠されているにちがいない。伝説通り、石ノ目の弱点が入っているかもしれん」

彼の嬉しそうな目を見ているうちに、何を考えているのかがわかった。

「まさか、彼女の部屋へ入り、箱の中身を見に行こうとでも？」

「今、あの女、畑だぜ」

この機会を逃してたまるか、と彼の顔が物語る。わたしは石の小鳥を懐へ入れ、女の部屋へ侵入した。あいかわらず何もない部屋だが、記憶している場所に木の箱はない。

「本当にこの部屋か？」

この家には覚えていられないほど多くの部屋がある。しかし間違いはなかった。部屋の隅に木製の台とろうそくがある。上に載っていたはずの箱だけがない。女はわたしたちの行動を読んでいたのだろう。隠したか、持って行ったか、したに違いない。

N先生は失望と喜びがまじった表情をした。

「よほど、中身をおれたちに見せたくないのだ。わくわくするじゃないか」

彼を心強いと感じずにはいられない。もしこの家へ来たのがわたしだけだったなら、はたしてどうなっていただろう。

わたしたちは自室へ戻った。

深夜。

わたしが布団の中でまどろんでいると、N先生に揺り起こされた。彼の手には明かりのついたろうそくが握られている。

「どうしました?」

「ちょっと、あの女の部屋に行ってくる。木の箱が昼間のうちなかったのは、女が懐に隠して畑へ行ったからだとおれは考えている。しかし今ならあいつは油断して眠っているさ。きっと箱もS先生が以前に見た場所へ戻っているはず」

「まさか、部屋では女が眠っているというのに、忍び込んで箱の中身を見てしまおうというつもりですか!?」

「あの女を起こさないようにがんばるさ」

わたしは彼を引き止めた。

「危険です! そんな足で!」

「あいつ、たぶん結構な年寄りだぜ。おれのじいちゃんは耳元で叫んでも目を覚まさなかったんだ。眠ってしまえばあの女だってそうに違いない。それに、足ならもうだいぶんよくなった」

「ぼくは行きませんからね」

「ついて来いとは言ってねえ。まあ、箱の中に何が入っていたか、報告を楽しみにしてな」

彼は障子の向こうに消えた。

わたしは布団をかぶり、彼の帰りを待った。眠れなかった。彼の戻らないまま、朝になった。

五

そろそろ朝食の時間である。わたし一人、食事をおこなう部屋へ向かった。夜のうちにN先生が戻ってこなかったことに、当然、悪い予感はつのるばかりだった。

食事の時、N先生がいつもすわっていた場所に、座布団はなかった。食事も一人分、わたしのものしか用意されていない。

いつものように、わたしが壁へ顔を向けて正座をすると、背後で人の入ってくる気配がした。女だ。自分一人で彼女と渡り合わなければならないことが、わたしを恐怖させる。

女がすわる。わたしの首筋のあたりをじっと見ている。そう、それがわたしにはわかる。

焼き鏝《ごて》をあてられたように、首の後ろがじりじりと熱くなっていく。しかし振り返ることもできず、わたしは壁のひびを見ながら汗を流すだけである。

「あの人には失望しました」女が話しだす。わたしは肺をつままれたように呼吸が苦しくなる。「あんなによくしてあげましたのに、このような酷《ひど》い仕打ちをなさるなんて、はなはだ面食らうばかりでございます」

彼女の声は一見、平常と同じであるが、ほとんど気付かないほど震えている。それが彼女の危うさを表しているようで、自分の頭から血の気が引いていくのがわかった。

「どう、なさったのですか」

「あら、もう見当はついていらっしゃるのでしょう」

くちびるが震えるのを抑制し、声を絞《しぼ》りだす。

「あなたの口からお聞かせください」

「あの方は昨夜、石になられました。そうなりました経緯《いきさつ》をご説明するのは、野暮というものでしょう。まったく、あの方の正気を疑うばかりでございます。早くお怪我が治るようにと、せっかく心をこめて軟膏《なんこう》を作りましたのに、このような裏切りを受けるのは心外でございました。こうなるとわかっていれば、あなたたちをこの家へ招き入れるべきではなかったと、自分の甘さが悔やまれてなりません」

　淡々と繰り出される彼女の言葉が、わたしの心臓を圧迫する。

　N先生への非難はしばらく続いた。その後、二人だけの食事がはじまる。もちろん、向き合いはしない。

「動かなくなったN先生は今、どこにいるのですか」

「わたしの部屋の前へ来ればわかりましょう」女はしばらく間《ま》をあけて続けた。

「S様、あなたはN様と違い、わたしの思いやりを無駄にするような方ではないと信じております。昨夜のようなことが再度起こり、わたしたちのお付き合いに影響が出ませんよう、祈っております」

　女の視線を感じ、箸《はし》を持つわたしの腕に鳥肌がたつ。背中に無数のウジがわいたような気にさせる粘着質の視線である。

「わたしがこのまま宿泊することを快く思わないのであれば、そうおっしゃってください。N先生のいなくなった今なら、わたし一人で山を下りられましょう」

「お母様は見つかりましたか」

「いいえ」

「あなたがお母様にお会いするまで、この家でゆっくりされるといいでしょう。わたしはあなたのことを信頼しており、長くこの家に滞在なされることを切望しております。それとも、何かこちらの生活にご不満がございますのでしょうか」

「不満などとんでもありません。気候がよく、静かで、たいへん快適です。それに、あなたがとてもやさしくしてくれます」

実は、快適であるというのは本音である。

「それならばなぜ麓《ふもと》へ下りる必要があるでしょう。ずっとこの家にいていただいても構いませんよ」

平坦に紡《つむ》がれる彼女の声に、わたしの気のせいかもしれないが、満足そうな響きがあった。

わたしは桃を一口かじる。甘い味の桃にも、実は、あきていた。

「ここならば遠くまでよく見えるでしょう」

N先生は答えない。

食事の後、女の部屋の前に行くと、彼が足を投げ出してすわっていた。右手に杖を握り、左手は胸のあたりにある。杖は結局、石化した右手から外すことができなかった。顔に会心の笑みを浮かべ、視線は左手の指の先に向けられている。想像だが、彼は左手で箱を持っていたのではないだろうか。いざ蓋を開けようとしたその時、あの怪物の眠りを覚ましてしまったのである。

女の部屋の前で置物にしておくのは忍びないと思い、半日かかって彼を庭の見晴らしのいい場所へ移動させた。もっとも、深い霧のため視界の程度は知れているが。

立ち並ぶ石像たちにまじって、ただ一人、服を着た彼がすわっている。

わたしは今日も母を探しはじめた。地面には調査済みを示すSが並んでいる。全部の石を見終えるのも、遠くはないだろう。母の顔を探す前に、わたしはまず文字のつけられていない石から探すようになっていた。

しかし、有限と思い込んでいた石像たちは、やはり無限であったらしい。女と二人きりで食事をするようになり一週間が過ぎても、Sのない石像が次々と見つかった。わたしの予想ではすでに全ての石を見ているはずであったが、不思議と未調査のものはなくならなかった。母はまだ見つからず、胸の内で焦燥感が膨《ふく》れてゆく。迷子になった気持ちである。

わたしは夢遊病者のように、深い霧の中を歩きまわる。動かない者たちの影が亡霊のように現れては消える。砂利と石。生物の姿はほとんど見当たらず、時折、巨大な蛇が赤い舌をちらつかせながら石たちの間をはっているだけである。

疲れはて、砂利の上にすわり込む。昼間の太陽が霧にかすみ、弱められた日光が辺りを白く塗る。しかし心の中は暗く、一点の光さえ見つけだすことができない。

後ろから声をかけられた。女である。

「畑へ行く最中にあなたのお姿を拝見し、声をかけずにはいられませんでした。地面にすわり込み、ずいぶんお疲れのようですが、もうお母様とはお会いできましたか」

「もういいのです。探しても探しても、きりがない。もうこの石で最後だと思ったら、まだわたしの見ていない石が霧の中から現れる。まるでこれら人間の形をした石は、霧が凝縮して次々に生成されていくようです。美しい姿のまま時間を忘れた母に、一目、会いたい。しかしどうやらわたしの気力の限界がやってきたようです。目的のかなわぬまま、麓へ帰る日も遠くはないでしょう」

「わたしはS様に三度の食事を与え、快適に日々を送られるよう配慮してまいりました。それなのに、あなたはお母様に会わないままこの家を出て行かれるというのですか。人間のたくさんいるような怖いところへ、わざわざ急ぎ戻ることはないでしょう。これらの石たちをよくご覧なさることをお勧めします。このように素晴らしいものは、ここにしかありません。耳には静か、目には雄弁。これらの石に感動しない方はいらっしゃいません。それでも、この石たちから離れて生きたいと言うのですか」

「同感です。しかしわたしは麓に、叔父《おじ》を残してきました。彼は唯一の家族。このままわたしが帰らなければ心配するでしょう」

「S様、たいへん失礼ではございますが、麓へ下りる道をあなたに教えることにためらいを禁じ得ません。恩を売るつもりでは決してございませんが、親切にした恩人の言葉を無視し、山へ一人、置き去りにして出て行ってしまうとは、なんと非道なおこないでしょう。そう思われませんか」

女はそこで沈黙した。どうやらわたしがうなずくのを待っているらしい。うなずきたくはなかった。

「そう思われませんか」

もう一度たずねる。わたしは次第に、女の声が耳障《みみざわ》りになっていた。また、恐れてもいたのだ。

ええ、思います。わたしはできるだけ、彼女と友好的でいたかった。そのためにはうなずかざるを得なかった。

「言い過ぎたこともあるかと思われますが、全部あなたのためを思っての忠告なのです。どうか、さしでがましいわたしを許してください。また、いつまでもあなたをここに縛《しば》り付《つ》けておこうという気ではないのです。せめて、あなたがお母様にお会いになるまで、わたしにあなたのお食事の世話をさせてください。母子のご対面がお済みになった時、あなたに麓までの道をお教えしましょう」

女が立ち去り、わたしはまた母を求めて霧の中を歩く。わたしはこの石たちの中で野垂れ死にするのかもしれないという錯覚を抱く。

女の言葉が一つ一つ思い出され、心中が絶望の灰色へ腐食される。母に会うまでこの家を出られないということではないか。そもそも、母が見つかった時、あの女は麓へ下りる道を教えてくれるだろうか。どうやらあの女、わたしにここにいてほしいようだ。なぜだろう。寂しい？　まさか。石ノ目がそのような感情を持ち合わせているものだろうか。

わたしを石にすることが、ここに引き止めている主な原因だと考えてみる。あの女もわたし同様、石になった人間を美しいと思っているようだ。ここに集められた石たちこそ彼女のコレクション。ここは彼女の美術館。いつか、女がシャッターチャンスをとらえた時、ひと睨みでわたしを時間の輪の中に閉じ込めるのだ。

そこまで考え、わたしはふいにおかしさが込み上げてきた。はたしてあの怪物が、本当にそのようなことをたくらんでいるか疑問である。もしもそうならわたしの命は危険であるが、証拠などないのだ。第一に、わたしごときがあの女にとって、どのような被写体となりうるだろう。

石になった母を見つけた時、わたしの前に道ができる。そう自分を勇気づけ、霧の中をまた歩く。

Sのまだつけられていない石をまた一つ見つけた。夕日の沈む方角へ顔を向け、跪《ひざまず》いた若い女の石である。穏やかな表情が印象的だ。

わたしは足から力が抜けていくのを感じ、その場に膝をついた。皮肉にもその若い女と同じ格好になる。見覚えがあったのだ。ほとんどの石像のことは記憶から消えた。しかし偶然、その女の穏やかな表情は印象に残っている。すでに一度、その石は見たことがある。風に揺れた彼女の長い髪の毛。わたしは触ってしまい、折ってしまったのだ。その証しに、砂利の上に針状の石が散らばっている。ではなぜ地面にSの文字がないのか。消されていたのだ。女に。彼女は文字の意味を理解したに違いない。その上で、わたしが同じ石像を繰り返し調査するよう仕向けるため、砂利をならして文字を消していったのだ。

おそらく母の石はどこか別の場所へ隠されているのだろう。わたしに母のいない場所を探させ、少しずつ弱らせていく。母が見つからないことへの不安、焦《あせ》り、その表情を女はいぶりだす。わたしがその極限へ達した瞬間を、女は逃がさない。シャッターを切るように、わたしの苦しみの表情を永遠に縫い止めるのだ。

石になった人間たちの顔を思い出し、戦慄《せんりつ》する。穏やかな表情の者がいれば、苦しみの表情を浮かべた者がいた。それらの顔まで彼女の手により作られたものだとしたらどうだろう。内側から感情のにじみ出る石こそ、女が求めているものではないのか。

あの女はただ人間を石化することに飽きたらず、巧妙に気付かれないよう、素材を理想の形へ近付けていたのである。

わたしの場合、彼女が求めたのはいわば苦しみの表情だったのだ。母を求めてさまよいながらも、一向に会うことのできぬ苦しみ。それを長い時間をかけ、家を出て行こうとするわたしを引き止めながら、策を弄《ろう》してつくり上げる。これは駆け引き。遊びなのだ。

石となったわたしの首には、題名の書かれた札がぶら下げられるに違いない。何という題名だろう。例えば『絶望』。それならば、すでにわたしの表情は彼女の思い描いた通りに完成しているだろう。

じきに女は、仕上げの時期であることを悟る。わたしの目の前に現れ、遊びの終わりを告げるだろう。その前にわたしは、行動を起こさなければいけないのだ。

六

夜。めずらしく霧は晴れ、しんとした冷たい空気が張り詰めている。

ろうそくの明かりをたよりに、炊事場で包丁を手に取る。刃はところどころ錆《さ》びており、切れ味は保証できないが、人を殺せそうなものといえばそれしかない。

ふと気を抜けば、立ったまま気絶しそうである。夜の緊張した空気が無数の手に形を変え、わたしを引き止めるように足へ絡み付く。

計画はこうである。女を呼び出す。ふいに明かりを消す。包丁で命を絶つ。

あの女の武器は、目を合わせることで相手を殺せるという石化の視線である。よってわたしは始終まぶたを閉じておかねばならない。結局、彼女の優位性は、目を使えることに限るとわたしは考える。

また、この数週間を女と同じ家で暮らしてわかった。どうやら彼女、目で石にすること以外の特異な力はないようである。それならば、目を閉じている限り大丈夫だろう。逆に考えるならば、そうしている限り、女はただの年老いた人間と同じである。

それならば後は、視界を剝奪《はくだつ》してしまうことで、わたしと女は同じ条件となるはずだ。そうなった時、武器を懐《ふところ》に隠し、隅へ追い詰められた鼠《ねずみ》の方が有利に違いない。

明かりを消し、暗闇にすることで女の視界を奪う。女も夜はろうそくを使っていることを、わたしは知っている。

女の部屋の前。

「もしもし、Sです。夜分遅くすみません、お話がございます」

速くなる心音。呼吸の音を悟られまいと、浅く呼吸を繰り返す。

女の声が部屋の中から聞こえる。

「わたしを眠りの中から呼び起こすほど、大事なお話なのでしょうか」

「はい。この場で障子越しに交わすにはいささか大事すぎる内容ですので、他の部屋でお話ができたらと思います。もし、わたしの話に耳を傾ける少しばかりのお慈悲をお持ちなら、わたしの後をついてきていただきたいのです」

しばらくの間。

「わかりました、支度《したく》をしましょう」

「明かりはわたしが持っております。どうか、そのまま」

部屋に背中を向けると、障子が開き女が出てくる音がする。狙い通り、女は燭台を持っていないようだ。明かりを持つのはわたし一人でなければ、計画に差《さ》し障《さわ》りが出る。

わたしの歩く後ろから、女がついてくる。庭に面した廊下を歩く。深く澄んだ夜に、わたしの持つ小さな明かり一つ。夏だというのに、小さな虫一匹すら火に寄ってこない。

背後の女が、じっとわたしの背中を見ているのがわかる。振り返り、女の目を遮りたい。しっかりせねば、視線に飲み込まれそうである。

家の中央に位置する部屋を目指す。庭に面している部屋では明かりを消した時、月の光が障子をすかして、女に視界を与えかねない。

条件を満たす部屋へたどり着く。燭台を手前に置き、わたしは中央にすわる。女はすぐ後ろに。どうやら背中を向けてはおらず、力のある目でわたしのうなじを見ているようだ。

「わたしはやはり、この家を出ようと思うのです」

女はわたしの真意を計りかねるように、言葉を吟味して答える。

「そんなことをおっしゃるとは、S様、わたしは失望いたしました。お母様の石はまだ見つかっていらっしゃらないのでしょう」

　平常の声を装ってはいるが、響きの裏側に苛立《いらだ》ちが隠されている。目を閉じると、女の感情の大きさが波となり押し寄せてくるという映像が見える、おそらく怒りや殺意といったものだろう。わたしが容易に従わなかったことが気に入らないのだ。

「母には、今日のお昼頃、やっと再会することができました。これもあなたのやさしさのおかげです。わたしの胸の内にある感謝の気持ち、どのようにしてあなたへお伝えすればよいのかわかりません」

　空間に亀裂の入るような声が響く。

「嘘おっしゃい。あなたは、麓《ふもと》への道を知りたいがために、そのような虚偽の言葉を並べているのですね」

「そのようなことはございません。母は、わたしの思い描いた通りの美しい姿で立っておりました。幻想的な霧の海で、永遠の微笑をたたえておりました。わたしの願いは成就《じょうじゅ》され、ようやく帰る決心をつけた次第です」

「そんなはずございません。あなたのおっしゃることは全部、偽《いつわ》りです。もしくは、あなたの見た石は、お母様のものではございません」

気をしっかり持たなければ、心臓が止まってしまう。汗が頰《ほお》を伝う。少しでも動いてしまうと、女との危うい均衡状態が崩れそうで、汗を拭《ぬぐ》うことすらできない。わたしは今、奈落へ続く大穴の上で、細い糸の上に正座しているのだ。

「なぜそのようなことがあなたにわかりますか。まさか、あなたはわたしを引き止めるために母の石をどこかへ隠しているとでもいうのですか」

「なんと不愉快なことをおっしゃるのでしょう。倒れていたあなたを介抱し、報酬を求めなかったわたしにたいする、これがあなたの答えですか」女の声がいよいよ高くなってくる。「暴言にして不作法、酷《ひど》い仕打ちでございます。今のうちに許しを請うならわたしも考えましょう。誠意をもって許しを請いなさい。そうでない場合、最後の覚悟をいたすほかありませんよ」

ろうそくの炎を、指でつまみ消す。辺りは闇に包まれた。

女がはっとしたのを、肌が感じた。暗闇の中、わたしは何度も想像で練習した動作をおこなう。懐に隠していた包丁を取り出し、同時に立ち上がる。

呼吸を止め、目は閉じたまま。子供の頃にやった、目隠しオニだ。体が覚えている。暗闇になっても、自分が部屋のどのあたりにいるのかがわかる。衣擦《きぬず》れの音で、おおまかな女の位置を知る。

さきほどまで女がいた場所に包丁を突き刺す。腹のあたりを狙って。空振り。

横から女が、わたしの足に飛び付いてくる。細い腕が、まるで何か得体のしれない動物のようだ。案外、力が強く、恨みや呪詛《じゅそ》といった暗い情念が、足に食い込む女の指に感じられる。わたしは恐怖とともに、あお向けに倒された。

悪い体勢のまま、無我夢中で包丁を突き出す。刃が女の肌へ入り込む瞬間、風船に指を突き刺す時のような弾力のある抵抗を感じた。包丁の先が体に食い込むと、錆《さび》の浮いた刃《やいば》が傷口を破き、するっと、柄《つか》の近くまで行き着く。硬いものに刃の先が当たった。骨だろう。包丁がわたしの手を離れる。獣じみた女の悲鳴。

わたしは立ち上がれないまま、悲鳴とは逆の方向へ逃げようとした。濃く粘り気のある血の臭いが、わたしの頭の中を赤色に染めあげる。しかし頭のどこかで、これで女はおしまいだろうと安堵《あんど》していた。どの部分に刺さったのかはわからないが、あの手応え、無事ではすまないだろう。このまま森へ逃げれば、女は追ってこれまい。

何か硬質のものが打ち鳴らされる音。わたしの意識が危険を告げる。火打ち石の音だ。

女は何かに火をつけようとしている。女がそのような石を隠し持っていたことに、今更ながら気付かされる。

火のつく音。障子だ。炎で部屋を明るくするつもりだろう。

突然、頬《ほお》が力強い何かに圧迫される。女が、あお向けになっているわたしの顔を、両手ではさんでいるのだろう。呼気がわたしの顔にあたる。目の前に彼女の顔があるのだ。

「さあ、目をお開けなさい！」

わたしの顔をゆさぶるように、女が強く言葉をたたきつける。語気を強めたその声に対し、わたしは残されたわずかな意識を集めて抵抗する。

ふと、懐に忍ばせていたものに気付く。母の形見のコンパクト。

「目を開けなさいと言っているのです！」

まるで、深く暗い穴の底から聞こえてくる声。女が血のついた手でわたしの顔を撫《な》でまわす。

気付かれないよう、わたしは懐の中でコンパクトを開けた。祈るような気持ちで、鏡の部分を女の眼前に差し出す。女は鏡に反射した自分の視線により、石になるはずだった。

そうはならなかった。女の手にはじかれ、母の形見は手の中から消えた。

女が執拗《しつよう》に、わたしに目を開けるよう強要する。わたしは首を振り、顔をはさんでいる手から逃げ出そうとした。だめだった。わたしは涙さえ流していたかもしれない。どのような事態になろうが、目だけは開けまいと心に決めていた。たとえ炎に焼かれようと、包丁に刺されようと、この女の石にだけはなるまい。

部屋を焦《こ》がす炎の音が聞こえる。いつのまにか女は、わたしの顔から手をはなしていた。たった今まで鼻の先にあった彼女の呼吸音も、今はない。

場違いな、なつかしい響きが聞こえてくる。胸がつかれるような。古い映画の音楽のような。それは母が歌ってくれた子守歌だった。

子供の声を真似て母親を振り返らせた石ノ目の物語を、わたしは忘れていた。罠だと思った時はすでに遅かった。

わたしは母の名を呼び、目を開けてしまっていた……。

七

目を開けて最初に見たものは、やけに白い天井だった。わたしはベッドに寝かされ、腕に点滴の管《くだ》がつながっている。まわりを見回してもあの女はいない。障子の燃えた跡もなく、カーテンが風にそよいでいるだけである。全部、夢だったのだろう。自分の腕を指先で押し、弾力があることを確かめる。石になってはおらず、ほっとする。

しばらくの後、看護婦と医者がやってきて告げた。ここは病院だと。

わたしの覚醒を電話で聞いた叔父《おじ》が、十分もたたぬうちに、花やその他の荷物を持って駆け付けてきた。彼から詳細を聞く。

わたしとN先生が山へ入ったあの日から、すでに一か月が経過している。わたしたちは遭難したことになっていた。捜索はことごとく無駄に終わり、命などとうに絶望視されていたところ、突然、わたしが発見されたという。

二日前、わたしは川を流されていた。子供の頃、苔《こけ》の中から手の形の石を見つけたあの川である。病院へ運ばれてから今日まで、眠り続けていたらしい。N先生の所在を聞くと、叔父は残念そうに首をふった。

持ってきた花を花瓶に飾り、叔父がもう一つの手荷物を差し出した。巾着袋《きんちゃくぶくろ》である。中を見たわたしは、次第に自分の心拍数が上がってくるのを感じた。

「君が川で発見された時、服の中に入っていたものだよ」

石の小鳥。木の箱。突然、血の臭いが充満し、炎に照らされていたあの夜の部屋へ放り込まれる。火花が散るように、忘れていた映像がよみがえる。

叔父が木の箱を開けようとした。あわててそれを止め、尋ねる。

「叔父さん、もう一つなかったかい？　川で発見された時、石がもう一つあったはずなんだ。人間の足の形をした石が」


石ノ目だとばかり思っていた者は、石ノ目ではなかった。あの夜、目を開けたわたしは石像にはならず、子守歌を歌う年老いた女の顔を見るばかりだった。

燃え広がる炎の中、その女は自らの半生をわたしに説明した。

彼女はまだ若い頃、自殺をするために山へ入り、霧の中に建つ古い家へたどり着いた。当時はまだ、その家には本物の石ノ目が住んでいた。石ノ目は彼女を石にしようとしたが、容易にそうはならなかった。そのうち、世界に絶望していた彼女と、山で孤独に生きる石ノ目の間には、友情らしきものが芽生えた。女は自殺しようとした山の奥で、ようやく安らぎを得たのである。

偶然、彼女はポラロイドカメラを持っていた。写真家であることにこだわり、自殺を選んだ時もカメラを手放さなかったらしい。

ある日それを用いて、ファインダーをのぞかずに石ノ目の写真を撮ることになった。石ノ目はその機械を無邪気にめずらしがっていたという。不幸はその時に起こった。女はシャッターを切り、まだ白いままの写真を石ノ目へ渡す。徐々に浮かんでくる画。石ノ目ははじめて見る不思議なものを興味深く見つめ、石になる。写真に写った自分の姿、目の魔力により、自らを石化してしまったのである。

石ノ目の瞳は石像と化してまで、それを見た動物たちをことごとく石にした。残しておくには危険だと思い、女は石となった唯一の友達を粉々にくだいて埋めた。

以来、彼女は自らを石ノ目と偽《いつわ》り、家を守ってきた。あらゆるものに絶望していた彼女にとって、そこは唯一、安らげる世界だったのだ。その世界を壊そうとする者には石ノ目の写真を見せ、容赦なく石にした。

時間が経過し、女は年をとった。その彼女のもとへ、ある時、遭難したらしい二人の人間が現れる。うち一人の名前を聞き、女は驚いた。自分が山へ入る時、麓《ふもと》へ残してきた自分の子供が、大人の姿となって目の前に現れたのだ。

子供は、年老いた母の存在に気付かなかった。それだけでなく、若く美しい姿のまま石像となっている母の存在を信じていた。

思い返してみれば自分は身勝手な母親、子供より仕事をとってしまった人間である。今更、どのような顔をして子供に会えばよいのかわからない。それならば、子供の中で風化せず生きている美しい自分の姿を、このまま崩さずにとっておきたい。女は自らが母親であることを名乗りでないまま、石ノ目として偽り通すことにする。

最初のうち、もう一人の怪我が治れば、すぐに家から出すつもりだった。しかし、同じ家で生活するうち、わが子と離れることができなくなる。また山奥の家で一人になることが怖くなる。そこで女は、子供を麓へ帰すまいと考えるようになった……。


炎がいよいよ激しくなり、早く家を出なければ命が危ぶまれる。

包丁は女の太股《ふともも》に突き刺さっていた。血の量から、もう助からないことがわかる。彼女は最後に、木の箱を持ってくるようわたしに願った。死ぬ前に一度、友人だった石ノ目の顔を見たいという。あの木の箱に写真が入っているそうだ。小鳥を石化した際は、それを懐《ふところ》に隠し持ち、わたしとN先生の背後から仕事をしたのだろう。

わたしは箱を持ってくるため、炎の中、彼女の部屋へ走った。箱を部屋へ置いたままにしていることは、彼女は最初から、わたしを石にするつもりなどなかったということか。

箱を女に渡し、後ろを向くと、背後から溜め息が聞こえてくる。

なんて美しい顔、あなたがこんなに美しい顔をしていたなんて……。

やがて女の呼吸音が消える。石になったのだ。包丁の刺さった足の傷は、石像のひびとなる。そこから先が折れ、畳の上をごろりと転がった。

わたしは女の持っていた写真を、見てしまわないよう気をつけながら箱にもどした。N先生は人生最後の夜、おそらく箱の中身を見ることに成功したのだ。彼が足を放り出して石化していたのは、泥棒仕事が成功し、安心して部屋の外ですわったまま箱を開けたためであろう。指の先を見つめるような格好は、その指が件《くだん》の写真を挟んでいたためだ。

わたしはいつの間にか、裸足《はだし》のまま砂利のしきつめられた庭に立っており、焼け落ちる家を眺めていた。その先は、はっきりと覚えていない。わずかに思い出せる光景では、わたしは、石になった女の足を両手に抱えている。月明かりのもと、石像たちの並ぶ霧の中を、裸足で歩いている。

どうやら川へ飛び込んだようだ。自殺を考えたのだろうか。それとも、錯乱した思考の中で、麓へ下りる正しい道が川の流れであることに気付いたのだろうか。

あの盆地は、輪となった一本の道に、まわりを囲まれていたのだ。しかし橋がただ一つしかないのはおかしい。川が盆地を横切るのなら橋は二つあるはずだ。一つしかなかったのであれば、盆地の中から川がわき出ているか、流れ込んでいるかである。しかしそのどちらの様子も見られなかった。不思議な感じに空間がつながっているのだろうか。結局、川こそ檻《おり》の出口だったのだ。あの盆地を子宮とするなら、さしずめあの川は産道だったのであろう。子供の頃、川で拾った石は、上流から流されてきたものだったのである。

わたしが川で発見された時、石化した足を持っていなかったということは、途中で落としてしまったのだろう。

相部屋へうつされた。隣のベッドの子供が、わたしのかたわらにある石の小鳥を指差して、すごいねと言った。まるで生きているみたいだね。石の小鳥をあげるとお返しに、その子が描いた母親の絵を見せてくれた。クレヨンの、子供らしい絵である。今までわたしの描いてきたどれよりも美しい絵だと感じる。

美術教師であることをその子に告げると、もっと上手にお母さんの絵を描くにはどうしたらいいかと尋ねられた。出来なんて気にせず、一生懸命、お母さんのために描いてあげればいいんだよ、と言ってやる。きっとそれだけで嬉しがってもらえるんだよ、と。

退院した後、わたしは毎日、川へ足を運んだ。

時々、今はもう焼け落ちたあの家のことや、すでに年老いていたあの女のことを思い出す。驚いたことに、懐かしいという感情をこめて。

現在、わたしの手にある木の箱を、開けようか、どうしようかと迷う。わたしも死ぬ前には、写真に写っている人物の顔を見てみたい。そして石になりたい。しかし今はまだ。

川のほとりを歩きながら、川底に目を凝《こ》らす。わたしを見た近所の人は、捜し物ですか、と声をかける。

ええ、母の片足を探しているのです、とわたしは答えるのだ。

はじめ

1

待ち合わせの時間に少しおくれて、木園《きその》が喫茶店へ入ってきた。木園と会うのはひさしぶりだったので、妙に気恥ずかしかった。

「もうすぐはじめの一周忌だ。花束でも買って、あいつが死んだ場所へ行こうじゃないか」

友人の木園淳男《あつお》から電話があったのは、一週間前のことだ。

ちょうど一年前、はじめは事故で死んだ。乗っていたバスが橋の上を通っている時、トラックと衝突したんだ。バスはそのまま橋から落ちて、ほとんどの乗客は助からなかった。奇跡的に子供が一人、助かっただけだ。

事故の起きた橋を、私はよく知っていた。とにかく古い橋で、手すりが低い。だからバスは川へ落ちてしまった。その時の新聞の切り抜きを、実は今でも持っている。亡くなった人達の名前の中に、はじめの名前も並んでいるんだ。

「なにかのまちがいが起こって、私が死ぬようなことになっても、普通の人間が死ぬのとはわけがちがうのだから、べつに悲しまなくてもいいんだよ」

いつか、はじめがそう言っていた。

2

最初にはじめに出会ったのは、小学四年生の時だった。

小学生の私はすみっ子だった。すみっ子というのは、すみっこが好きな子供のことだ。私は窓際の席が好きだったし、たまの席替えで机が教室の真ん中へ移動した時は、みょうに不安になった。写真に写る時も、道を歩く時も、私は真ん中をさけてはしの方にいた。目立つことが嫌いだったんだ。

私はたいそうまじめな子供なのだと、先生に思われていた。まだ小学生のころは学校の成績も目立つほど悪くなく、先生にはむかうようなこともしなかったからだ。まわりの友人も、私のことを、まじめでおとなしい奴だと思っていたようだ。

不思議なことに、まわりの人間にそう思われると、自分でもそう振る舞わなければならないと感じた。子供の、特に単純な私の脳味噌は、そういうふうにできていたんだ。当時の私はとにかく波風をたてて先生に目をつけられないよう、神経をつかって生きていた。

しかし、しょせん地球は丸くて、世界にすみっこなんてなかったんだ。私はある日、いやおうなく教室のまんなかに立たされることになった。

小学四年生の時だ。当時、私のクラスは、学校で飼育している鶏《にわとり》の世話をしていた。世話といっても、毎日夕方にえさをあげて、一週間に一度、鶏の小屋を掃除するだけのかんたんなものだ。ただ、休日に学校へきて、鶏にえさをやるのがめんどうだった。

クラスを六つの班にわけて、一週間交替で世話をした。クラスのみんなはくさいくさいと言ってこの仕事を嫌がっていた。小屋の地面には鶏のふんがびっしり落ちていて、女子は小屋の中へ入ることすらしなかった。だから、鶏の世話はたいてい男子がさせられた。その上、鶏小屋《とりごや》から戻ってきた男子にたいして、女子のかける言葉は、「くさいからちかよらないで」だったんだ。

私はその仕事をがんばった。本来、動物好きでもあったし、先生が私にそそぐ期待を裏切ることはできなかったからだ。仕事をさぼらず鶏の世話をしているうち、本当に、鶏にたいして愛情がわいていた。当時、生まれたばかりのヒヨコに、一番愛情をそそいでいたのは私だったという自信がある。クラスの半分以上の子は、ヒヨコが生まれたことすら気付いていなかったんだ。

ある日、私は鶏小屋の掃除を押しつけられた。本当なら、当番になった班の全員でやらなくてはいけないのに、ほとんどの人はだまって帰ってしまっていたんだ。小屋の掃除は、それほどまでに過酷でくさい仕事だったんである。この時ばかりは、私も泣きたくなった。しかし、全員が帰ってしまったわけではなく、ただ一人、掃除を手伝ってくれた男がいた。そいつが木園淳男だった。

木園と私は、その年に初めて同じクラスになった。彼は黒いふちの眼鏡をかけて、出っ歯で、チビだった。おまえはアメリカ人の想像する日本人かよ、といった感想は胸のうちにしまいこみ、小屋の掃除を手伝ってくれる木園に私は感謝した。その時まで、私と彼とは話らしい話をしたことがなく、宿題のノートを彼に見せてあげたことが一度あったきりだ。

鶏のふんを洗い流すため、木園がホースを取りに行った時だった。私は、あれだけ可愛がっていたヒヨコを、不注意でふみ殺してしまった。それはそれはショックだった。私は、息絶えたヒヨコをひろい上げ、どうすればいいのかわからず、ポケットにしまいこんだ。戻ってきた木園が私の顔を見て、「どうかした?」と尋ねた。その時、私がどう答えたのか、記憶にない。いつの間にか掃除は終わり、担任の先生に報告して、教室に置いていた自分のランドセルの前にいた。もしや夢だったのではないかと思いポケットを探ってみたのだが、残念ながら冷たくなったヒヨコが入っていて、がっかりした。

木園はすでに帰っており、教室には、とほうにくれた小学生の私一人が残っていた。

その時、私の中で、普段は表面にあらわれないずるい自分の声がした。

「すてちゃえよ。下水道に流してしまえば、きっとわからないよ」

私の住んでいた町の地下には、石でできた古い水路が張りめぐらされていたんだ。大人でも立って歩けるような大きなもので、今はもう使われていない、アリの巣のような地下トンネルが残っていた。なんでも、歴史的に価値があるらしく、少し前までは内部の調査もされていたらしい。私が小学生になったころにはもう調査されなくなっていたが、道路の工事をやっていたらぶちあたった、という話を聞いた記憶がある。しかし、入り口のある場所を知っている者はすでにいなかった。内部が調査されていたからには、町のどこかに入り口はあるはずなのだが、だれも知らないし、記録もないのだそうだ。だから、存在は知られていたが、実際に見ることはほとんどできなかったんだ。入り口のある場所さえだれも知らない地下巨大水路のことをみんな、たんに下水道と呼んでいた。

私は、持っていたノートの最後のページを破って、それでヒヨコをしっかりつつんだ。冷静に考えれば、下水道と排水溝がつながっているわけがなかったのだが、当時の私はそんな判断ができなかったんだ。手洗い場の排水溝にそれをぎゅうぎゅう押し込んで、走って帰った。途中、立ち止まらなかったし、振り返らなかった。とんでもなく怖かったんだ。

次の日、学校を休みたかったのだが、ずる休みをする勇気もなく、足どり重く教室へ入った。ヒヨコは、私の破ったノートとともに発見されていた。動かないヒヨコのまわりに、クラスメートたちがあつまって騒いでいた。

私はできるだけ平静を装った。

「ひどいね、だれがやったんだろうね、手洗い場につまってたらしいよ」という友人たちの声に、「へえ」とか言って驚いてみせた。やがて、クラスの中心人物で、人望もあり、スポーツもうまくて目立っていた男の子が「犯人を探そう」と言い出した。まわりのクラスメートも、その一言でぐっと盛り上がった。私は内心、ひえぇー、と思っていたんだ。

生活態度の悪い何人かの名前が犯人候補にあがった。だけど結局、昨日遅くまで鶏の世話をしていた私か木園のどちらかが犯人ではないかということになった。

「耕平《こうへい》くんがヒヨコを殺すわけないよ」とだれかが言った。正直者でおとなしい、というのが私の性格とされていたからだ。一方、木園淳男には悪いイメージがあった。いつもねぐせがあったし、体操服を何か月も持ち帰らないので、くさかった。勉強の成績も悪く、運動も苦手な子だった。だから、ヒヨコを殺してすてたのは木園なのではないか、という雰囲気になったんだ。

「淳男くん、犯人はあなたね！」

ある女子が口にした。その子が発言した途端、クラス全員が、「ひどい！　ヒヨコがかわいそう！」と言って淳男を攻撃しはじめた。

女子の中には、涙を流してヒヨコの死を悲しんでいる子もいた。クラスがそんな状態の中で、もちろん私は自分がやったことを告白できるはずもなかった。木園とはあまり親しい間柄ではなかったが、彼の窮地《きゅうち》に良心が痛んだ。

しかし、騒ぎが最高潮になった時、木園淳男はぼりぼり頭をかきながら言ったんだ。

「みんな、鶏小屋には入りたがらないくせに、こういう時だけ動物好きになるんだね」

その後、クラスの中でいくぶん冷静だった子の力により、木園淳男は証拠不十分で公開処刑をまぬがれた。かわりに、彼と私は担任の先生に呼ばれ、職員室で事情聴取されることになった。

職員室へ行く道すがら、彼は私に、さらりと言った。

「あれをやったのは耕平くんだろ?」

「な、何を言うのさ」

「このまえ宿題をうつさせてもらったじゃない。ヒヨコをつつんでいたノートが、その時の耕平くんのノートに似てた。線の色とかね」

「だからって!」

「じゃあ、ノートを見せてよ。ノートを破ったあとがないか、調べるから」

私は観念して、洗いざらいしゃべった。泣かなかったのはひとえに、彼が私の話を、まるで以前に見たテレビ番組の解説を聞くように、悲しむでもなく、しかるでもなく、さもつまらなさそうに聞いてくれたからだった。

それから私は、すべての罪を先生に白状することを彼に誓った。どのみちこいつがみんなに言いふらすんだろうし、それならば自分から白状して、少しでも刑罰が軽くなればいい、全部話せば先生はわかってくれるさ、みたいな考えがあったことも確かだ。小学生から見た先生は、大人だったのだ。

「木園淳男くん！　あなたね、ヒヨコを殺したのは！　どうしてこんなことしたの！」

職員室へ行くと、担任の三田先生はきびしい声でそう言った。三田は動物好きで生徒にも人気のある、女の先生だった。

三田の意見はこうだった。昨日、最後まで鶏の世話をしていたのは私と木園だったから。さらに、私はまじめで動物好きだからヒヨコを殺すはずがない。だから木園淳男がヒヨコを殺したに決まっている。実に、クラスのみんなと同じ推測だったんである。先生が小学四年生と同じことしか言わなかったのが、少年の私には、妙にショックだった。

「耕平くんがヒヨコを殺すわけないでしょう！　正直に言いなさい淳男くん！」

私が殺すわけがない、という三田の言葉は、今まさに白状しようという私を窮地に追い込んだ。私は何も言えず、震えて立っていることしかできなかった。

「やったのはぼくじゃないです」

木園がはっきり否定した。私がいつまでたっても罪を告白しないからだ、とその時は思った。でも、彼は続けてこう言ったんだ。

「耕平くんがやったわけでもないです」

「え!?」

三田と私は同時におどろいた。木園が言うには、彼が校門を出る時、私らとは別に鶏小屋へ入る人影を見たというのだ。

「あの人影は耕平くんじゃなかったです。きっとその子が、ヒヨコを殺して、排水溝に流したんだと思います」

彼が私をかばって嘘をついているのだと、すぐに気付いた。十年間生きていて、こんなにすばらしい人間に出会ったことはない！　というくらい感謝の念がわいた。

「そ、そう、でも信じられないわ」

「ぼくも見ました。きっと、その子が……！」

私が木園に賛同すると、三田も信じる気になったらしい。彼女は私らに、ヒヨコを殺した犯人の特徴を尋ねた。私と木園はその子を実際見たわけではなく、ぽんぽんと思い付いた特徴を適当に答えた。

髪は短かった。白いセーターをきていた。半ズボンだった。背丈はぼくらとかわらない。

「ええと、知ってる子？　クラスはわかる？」

「いいえ、この学校の子じゃないみたいです。うちの近くでよく見かける子です」

「その子の名前は？」

答えたのは木園だった。

「……たしか、〝はじめ〟じゃなかったかな。はじめ。女の子です」


ヒヨコ殺しの犯人は、実は女の子だった！　というショッキングな真相は、すぐに学校中の話題になった。実は真相でもなんでもない、私と木園の嘘なのだが、そんなことはだれも知るはずがなかった。

それに真実はどうあれ、事件の内容が当時の小学生の好奇心を刺激したんだ。なんたって、ヒヨコを殺したのは男の子ではなかった、女の子だったんだ。しかも、犯人であるはじめはつかまっていない（当たり前だ）。当時、謎が謎をよび、いろんな説が小学校に出回った。実ははじめは吸血鬼で、ヒヨコを殺したのは血をすするためだ、というような噂《うわさ》だ。そのせいで、いつのまにかはじめには鋭い牙があることになっていた。

最初のうち、私と木園は、はじめの目撃者としてまわりからちやほやされた。しかし、友人や上級生からはじめのことを尋ねられるたびに、やつには牙なんてなかったと訂正しなければならなかった。別に、はじめなんて空想上の子なのだから、牙なんかあってもなくてもよかったんだ。だが、私らの中に、「牙はちょっとちがうよな」という確信めいたものがあった。

「わたしもはじめを見たわ！」と言いふらす子が何人もいた。そういう話の中で、はじめはきまって悪いことをしでかしていた。他人の家の庭に侵入して鉢植えを割ったとか、車に落書きをしていたとか、万引きをそそのかしたとか、そういうものだ。

車の落書きも、割れた鉢植えも、本当にはじめがやったわけではないのだろう。きっと子供たちが、怒られるのが怖いので、はじめのやったことにしてしまったんだ。私がそうしたように。

しかし、そういった話がふえるにつれて、はじめの悪名もひろがっていった。小学校内にとどまらず、小学校区域全体に、やがて大人たちも含めて、はじめの噂を知らないものはいなくなった。先生や親は、はじめという名前の女の子を必死でさがしたのだが、結局見つからなかった。

「本当にはじめって名前の子がいたらやばいところだった」

と木園は胸をなでおろした。まったくだ、とこたえつつ、いつのまにか私らは親友になっていた。

はじめという女の子の出現から一か月ほどして、ようやく学校は落ち着きをとり戻した。私と木園も、はじめの目撃者という肩書きがうすれ、またそれまでのような、クラスのあまり目立たないメンバーに戻ることができた。

ただし、はじめの噂は消えなかった。どこそこでどんな悪さをしたとか、今度はこんなことをしたとか、よく耳にした。つまり、はじめといういたずら好きの女の子は、だれかに罪をなすりつけたい子供たちにとって、まことにちょうどいい存在だったんだ。

夏休みになると、ここぞとばかり怠惰《たいだ》にすごした。寝転がってアニメを見て、プラモデルを作って、怪獣の人形を眺めていると、たいてい母にけむたがられた。そんな時きまって私は自転車をとばし、木園の家へ向かうことになるのだ。

木園の家は綺麗で広かった。いい匂いがした。彼の母親は綺麗で、うちの母親とはえらく差があった。木園の部屋には写真がたくさん飾られていて、全部、自分が撮ったものなんだと言った。中には猫の写真まであって、私はうらやましかった。

私と木園はどちらも一人っ子なのだが、おこづかいなどの生活水準は彼の方が上だった。私は、なんでもかんでも彼に負けていたのが悔しくて、何か勝っている部分を探した。

「ペットとか、いないの？」

「昔、猫を飼っていたけど、死んだ」

当時、私の家は犬を飼っていたので、勝った、と思った。ささやかに。

そんなある夏休みの午後、私らは川のそばに自転車を止めて、川の流れを眺めていた。私の住んでいた町は地方にしては割と大きく、全体的に古い町だった。雨の日が多く、そのせいか川も多かった。今ではコンクリートで整備されているが、私らの生まれるずっと前、江戸時代くらいにはよく氾濫したと聞く。

地下にある古い下水道は、そういった川の氾濫を防ぐために作られたのではないか、という説もあった。しかし結局のところ断定はできず、だれが、何のために作ったのかわからない。もしかすると、町に人が増えたから汚水処理のために作ったのではないかという話もあったんだ。郷土の歴史の時間にそう学んだ記憶があった。

でも存在理由なんて小学生にはどうでもよかった。興味があったのは、その下水道が確かに地下に残っていて、偶然にも入り口を発見したどこそこのだれかさんがその中に迷い込んだまま出てこなかった、というような怖い噂の方だった。下水道の入り口は町のどこかにあるはずなんだが、不思議と、発見されたという話を聞かなかった。でも私らが見つけた。

その日、私らは川を眺めながら、はじめの話をしていた。

「はじめは下水道にくわしいんだ。入り口の場所も知ってる。下水道の地図も頭に入っているから、たとえ暗闇でも迷わないんだよ。下水道は、はじめの秘密基地みたいなものさ」

そのころになると、はじめというキャラクターの大部分が私らの手によって作られていた。最初はひまつぶしのつもりだったのだが、いつのまにか私らは真剣に『はじめ』を想像するようになっていたんだ。

「はじめはきっと、冬でも半ズボンだよ」

「でも上は毛糸のセーター。毛玉がびっしりついていて、袖《そで》で鼻水をふくから、がびがびになっているんだ」

「根性は曲がってるけど、育った環境のせいだ。きっと親で苦労してるにちがいない」

他にも、はじめは元日生まれだとか、いつもブルーベリーのガムを嚙んでいるんだとか、私らと同い年なんだとか、設定を考えれば考えるだけ、想像上のはじめが立体的に厚みをおびてきた。

「はじめは野球が好きで、いつも野球帽をかぶっている」という設定を自分でつくってみた。その設定はおどろくほど想像上の『はじめ』に合致し、もう私の頭をはなれなくなってしまった。

その話を木園にしようとすると、彼はそばにいなかった。辺りを見回すと、彼は川沿いの道を下流に向かって歩いていた。呼び止めても、「ちょっと待ってて」と言ったきり、歩みを止めない。気になってあとをつけると、どうやら、川を流れている段ボール箱を追いかけているらしい。

箱は五十メートルほど流れて、ある橋の橋脚にひっかかった。橋といってもそう大きなものではないが、幅だけはある。辺りは殺風景で、人の気配はなく、草がぼうぼう生えていた。

私らは橋の下におりた。下へおりる階段は、草に隠れてちょっとわかりにくかった。なんでそうまでして橋の下へ行きたいのかわからなかったが、どうも木園は先程の箱が気になってしかたがない様子だったんだ。このことが不思議でたまらなかったのだが、聞きそびれてしまい、謎が解けるのは高校生になってからだった。

橋の下にはコンクリート製の足場があり、私らはそこで、段ボール箱の中を見た。箱を開ける時、木園の手はぶるぶるふるえていたので、さぞ恐ろしいものが入っているのだろうと期待した。しかし、やがて彼はほっと息を吐き出して額の汗をぬぐった。中には何も入っていない。

はじめならここで、「死体でも入ってるのかと思ったのに！」と落胆するんだろうなと思った。

「死体でも入ってるのかと思った……」

ぼそっと木園がつぶやいた。

「おれ今、はじめならそう言って落胆するんだろうなと思ったんだ」

　ふうんと思いながら、私はあらためて辺りを見回した。昼間だったが橋の下は薄暗く、水面に近いせいか、夏場なのにとても涼しい。

橋の真下、コンクリートの壁にぽっかりと半円形の大きな穴が開いていた。さっそく中に入ってみたが、ずっと先の方に続いているらしく、まっ暗で何も見えなかった。数歩進んで、私らはひき返した。

ああこりゃどうも例の下水道の入り口だな、と私ら二人が理解するのに、さほど時間は必要なかったんだ。

かくして私らはあっけなく、橋の下で下水道の入り口をさがし当ててしまったんである。しかし、だれにもしゃべったりはしなかった。私らの秘密の場所だ。

それ以来、私は家を出ると、近所の駄菓子屋でてきとうなおかしを買って、自然と橋の下へむかうようになった。橋の下には木園が寝転がっていて、彼は「よう、来たな」と私に片手を上げるのだ。夏休み中、そんな感じだった。

当然、下水道の中にも入ってみた。中はまっ暗なので、懐中電灯で辺りを照らす。割と幅はある。高さもある。大人が二、三人、横に並んで歩けるくらいだった。下水道は町の中心部へのびていて、ずっとまっすぐ半円状のトンネルが続いていた。郷土の歴史の時間に先生が言った通り、壁は切った石が積み重ねられてできていた。ただ、がたがたに古ぼけていて、よく現代まで懐れずに残っているもんだと思った。

下水道の中は涼しく、何か物音をたてれば、おんおんおん、と響いた。底にはからからに乾燥した砂がうすく積もっていて、時々ゴミが落ちていた。

「川の水位が上がると入り口から水が浸入してきて、きっと下水道内は水浸《みずびた》しになるんだ。

ゴミはきっと、その時に流れこんだものだよ」

木園が言った。雨の多い町だったので、川の水位が上がることはよくあったんだ。

しばらく道は一本道だったが、やがて左右にわかれ道が見えた。振り返ると、入り口はすでに小さな光の点となっていた。

「よくこんなものを作ったなあ」

私が感心すると、木園がすかさずウンチクをたれた。

「パリにはね、二千キロの地下水道があるんだ。しかも、百年以上前に作られたものさ。それに比べればこんな下水道、本当にアリの巣みたいなものだよ。それに、汚水が流されていたという証拠もないのだから、ここを下水道と呼ぶのは正しくないのかもしれないね」

どうして素直に感動できないかなこの人は、と私は思った。こいつは学校の勉強はできないくせに、よけいな知識だけはあるんだ。

私らはその後、入り口へひき返すことに決めた。下水道の中を自由に歩き回れるほどの装備がない。まだ時期が早いと判断したのだ。その時持っていたのは懐中電灯だけだったし、わかれ道があるので、迷ってしまうと危険だ。私らは、どちらが言い出したわけでもなく、そういう結論に達した。はじめがこの場にいたら、「いくじなし！」と言うかもしれない。でも、しかたない。

入り口へむかって歩き始めると、「いくじなし！」と頭の中で声がした。何度もくりかえし想像したはじめの声だ。もちろん、幻聴だ。本当はこんな時はじめならこう言って私をバカにするんだろうなあ、という思いが強まって、聞こえたような気がしただけなんだ。しかしやつの声は下水道の壁に反響して、おんおんおん、と響いた。この反響音もきっと、幻聴の一部なんだ。

「うるさいな！」

私と木園は、歩きながら同時に叫んだ。木園にもはじめの声の幻聴が聞こえたらしい。

「ははーん、本当は怖いんでしょう」

本当にイメージしていた通りの声で、幻聴が再び語りかけてきた。

「やみくもに歩いたって迷うだけさ。ぼくらは作戦をたてて下水道を攻略するんだ」

はたして、幻聴を相手に言葉を返す義務があるのだろうか、と心の中では思っていた。

「それなら安心して、わたし、ここはくわしいんだ。目を閉じていても迷わないよ」

下水道の入り口の光がずんずん大きくなり、やがて私らは外へ出た。橋の下は薄暗いはずなのに、まぶしくて目を細めた。

　下水道の奥を振り返ると、一瞬、私が想像していたとおりのはじめの姿が見えた。ボロボロのスニーカーをはいて、ひざに絆創膏《ばんそうこう》をはっていた。半ズボンのポケットに両手を突っ込み、口を横に広げて笑っていた。短く切った髪の毛に、野球帽。木園といっしょに想像したとおりの子が、下水道の中にいた。やつは私らに、バイ、と手をふって奥へ消えた。

　少しして、やはりさきほどのはじめは見えたのではなく、見えたような気がしただけなんだと思えてきた。あまり私が頻繁に、はっきりと彼女を思い浮かべるものだから、つい自分勝手に見えたような気がしただけなんだ。いわゆるまぼろしだったんだ、と。

　しかし、木園はこう言った。

「さっきおれ、はじめが見えたような気がした。……野球帽かぶってた」

　はじめは野球帽をかぶってるんだ、という話、実はその時まだ、木園に話していなかったんだ。そのことを知らないはずの木園が、野球帽を見たなんて、少し不思議だった。

　はじめの姿を一瞬見たのはその時だけで、その後は、時々声が聞こえるだけにとどまった。声といっても幻聴だ。幻聴だけが、私と木園にてくてくついて歩くんだ。

ある日、私と木園はいっしょに駄菓子屋へ行った。その日ははじめもそばにいた。もちろん、実際私らのそばに立っていたわけではない。やつは私らの頭の中にいたんだ。やつだったらこんな時、こんなことを言うんじゃないかなと私は明確に想像できた。ひじょうに明確に、事細《ことこま》かにイメージできたのだ。声はこんな感じ、こんな発音で、というふうに。そうしていると、まるで本当にはじめがしゃべっているような気がしてきて、やがて、それが自分の想像なのか、あるいは頭の中にはじめが住み着いたのか、自分でもわからなくなっていた。

それは同時に、木園にも起こった。私と同じように、頭の中ではじめがしゃべり、それがはたして自分の言葉なのか、自信がないのだそうだ。

私ら以外の人間にははじめの声なんて聞こえやしない。私と木園はタイミングよく同時に、同じ内容の幻聴を聞いているってわけだ。

目を凝《こ》らせば、はじめの姿さえ見えてきそうだった。まるでさわれそうなほどリアルに。きっと彼女の手の感触は、熱く、エネルギーがみなぎっているんだろう。

「最近、はじめって子が万引きをやっているんだってねえ。そんな話を、よく聞くよ」

駄菓子屋のばあさんが、しゃがれた声でつぶやいた。どこが目で、どこが口なのかわからないってくらい顔にしわのある年寄りで、いつも店の奥にすわっていた。すでにほとんど視力がないって噂もあった。

「ちゃんとお金払えばいいのにね」

木園が言うと、後ろからはじめの声がした。後ろからといっても、実際そこにいるわけではなく、声だけが後ろから聞こえてきたんだ。

「うるさいわねぇ、お金がないから払えないのよ」

それなら、『払えない』ではなく、『払うつもりがない』ではないのか。私はそう思ったが、思うだけにしておいた。すると、はじめがするどく言うのだ。

「耕平、今なにか考えたでしょう」

それから私らはいくつかの買い物をした。駄菓子屋のばあさんにお金を渡すと、ばあさんは店先を見て、「そこのおじょうちゃんは、なにも買わないのかい?」と言った。

「ん?」というはじめの不思議そうな声が、店先から聞こえた。私には何も見えなかった。

「おや? おかしいねえ、さっきまで女の子がいたと思ったんだけど、だれもいないじゃないか。どうも最近、目が悪くてねえ、いやだね年とると」

夏休みもそろそろ終わりだって頃、ぼちぼち下水道の地図作成にとりかかった。すでに学校の宿題は終わらせていた。

リュックに町の地図やらコンパスやらを入れて、もしものために非常食としてお菓子を用意してみた。町の地図もコンパスもどうせ使わないだろうとは思っていたが、気分を出すためだ。懐中電灯は自分用のを新しく買った。黒い、円筒型の格好いいやつだ。

下水道内部は迷路というほどではないが、わかれ道がたくさんあり、けっこう複雑になっていた。あの日、途中で戻ったのは正解だった。きちんとした作戦をたてて中に入らなければ、すぐに道に迷っていたと思う。

具体的な作戦としては、私がてきとうに道を選んで先頭を歩き、木園がそれに続く。私は角をまがるたびに歩数を数え、次のまがり角までの歩数を木園に報告する。木園はその歩数のぶんだけ、グラフ用紙に線を引く。つまりその線こそが、私らの歩いた道になるわけだ。私がジグザグに角をまがれば、ジグザグの線が描かれる。たとえ進まないわかれ道があっても、グラフ用紙に印をつけ、また別の日にその道の先を調べる、といった具合だ。

さらに、わかれ道を曲がる時、下水道の壁にマジックで印をつけることにした。どちらから来て、どちらへ行ったかを示す矢印だ。そのため、私らはいつもポケットにマジックを入れておくことにした。

最終的に私の歩幅から下水道全体の距離を求め、地図は完成というわけだ。それを考えたのは木園で、邪魔をしたのははじめのやつだった。

私が慎重に歩数をかぞえていると、やつが横から関係のない数字を言って（横の方向から嬉々《きき》とした幻聴が聞こえたんだ）、私を混乱させた。おかげで何度も数字がわからなくなったが、てきとうにそれらしい数を木園に言って、丸くおさめた。もちろん、はじめの声は木園にも聞こえていたんだが、まさか本当に私がまどわされているなんて彼は思ってもいなかったんだろう。ヘッドランプをつけた木園はグラフ用紙ばかり見ていた。

私の照らす光の中で、下水道はどこまでも続いていた。

「そんな地図、わたしにまかせてよ。庭みたいなもんなんだから」

「信用なんかできるもんか」

私がそう言うと、はじめのむすっとした気配が伝わった。いや、その気配も実は私らの頭の中で作られたまやかしだ。それよりも気になっていたのは、下水道内に響く靴音だった。なぜか三人分の靴音が響いていたんである。もちろん実際は二人分の靴音なのだが、私にはどうしても三人分聞こえたんだ。

しばらく歩き続けると、突然、前方に光が見えた。天井からまっすぐ、下水道の地面に光の筋ができていた。それまで下水道内はまっ暗闇だったので、私はひどく興奮し、グラフ用紙を見ている木園に報告しようとした。

「前方に光発見！」

報告したのははじめだった。それを聞いた木園は、バッと顔をあげた。これは、はじめの声が私だけでなく、木園にも同時に聞こえていたという証拠なのだが、私は重要な台詞《せりふ》をとられてとにかく悔しかった。

光の正体は、天井の四角い穴だった。見上げると穴には鉄の格子がはまっており、向こうがわに空が見えた。穴の外からかすかに車の音が聞こえる。あれは、道路脇の地面なんかに何気なくはまっている格子なんだとすぐに気付いた。そう思って下水道の地面を見ると、雨水の通ったあとらしいものがあった。

「はじめ、ここは町のどの辺なの？」

木園がグラフ用紙に印をつけて、聞いた。

「知らない、あそこから外を眺めたことないもん。でも、こういう場所はここだけだね」

はたして幻聴の言うことをどの程度信じられるのかわからなかったが、とにかく私らは肩車をして外を確認しようとした。私が下で、木園が上になった。

「だめだ、わからないし、天井まで手が届かない」

あきらめた木園は、クツの爪先で地面に文字を書いた。『あつお』というヘタクソな文字だった。


夏休みが終わり、学校が始まった。

朝礼で校長先生がはじめの話をした。なんでも、夏休みの間にはじめの悪名が隣の学区まで届いていたらしい。これは本格的にすごいことになったなと、さすがに私も驚いた。当時の私にとって、他の小学校というのは外国のようになじみがなかったんだ。

ところで、校長というのがまた生徒に人気のないやつだった。自分の趣味である釣りの話しかしないし、短気だった。あるクラスなんか、教室の蛍光灯を消さずに帰ったというだけで、一日中正座させられていた。クラス全員だ。そのクラスの担任も、さすがに校長には何も言えないようで、おろおろするだけだった。みんな、校長を恐れていたんだ。

九月の最初の週の土曜日、授業が終わって、私と木園は鶏の世話をした。その日はえさをやるだけだったので、仕事はすぐに終わった。

鶏小屋の扉に南京錠《なんきんじょう》をかけて帰ろうとすると、例の校長が自分の車の横でひざをついていた。かかわりたくなかったので、私ら二人は遠くから観察した。校長は顔を真っ赤にして、「クソッ！」と叫び、花壇をけとばした。車がパンクでもしたのだろう、私がそう思っているうちに校長はどこかへ行ってしまった。

私らはすかさず車のもとへ向かった。車がパンクして校長が悔しがっているなんて、こんなおもしろいことはない。でも、パンクではなかったんだ。

「なんてこった！　耕平、これを見ろよ！」

校長と同じようにひざをついた木園が指差したのは、アスファルトの地面にはまっている鉄の格子だった。昼だったので、太陽はほぼ真上に来ていた。だから、格子の真下がちゃんと見えた。なんと校長の財布が落ちていた。つまり校長は、車のカギをポケットから取り出そうとして、財布をついでに落としてしまったんだ。落ちた財布は運悪く格子のすきまを通ってしまった。まあそういうことなんだろう。

「いくら入ってるんだろうね」

「バカ、財布じゃない、もっと右！」

木園の言葉で、ようやくわかった。『あつお』という文字があったんだ。木園の名前だ。

そのうち校長が長いほうきを持って現れた。ほうきの柄《え》で財布を取ろうとするのだが、どうしても取れない。格子を持ち上げることもできないようだ。

やがて校長はあきらめてしまったのか、財布をそのままにしてどこかへ行ってしまった。

私らは顔を見合わせた。考えたことは同じだったようだ。

鶏の世話が終わったことを三田先生に報告し、走って家に帰った。ポケットにマジックを入れ、懐中電灯をつかみ、自転車で例の橋の所へ急いだ。ちょっと前ならいろんなものを入れたリュックを用意するのだが、もう下水道へ入るのになれていたし、まあ必要ないだろうと思って用意しなかった。

下水道の入り口には、すでに木園が待機していた。作成途中の地図を手にしていた。

「ちゃんと、財布の所まで行けるんだよね?」

「もちろんだ。さ、行こうぜ……あれ? ランプがつかない」

木園が自分のヘッドランプを振ったり、ぽんぽん叩いたりして首をかしげた。たぶん電池切れだ。

「いいよ、ぼくの持ってきたやつが一つあるから。先を急ごう」

私らは懐中電灯一つをたよりに、校長の財布のもとへ向かった。すでに頭の中ではそれを手に入れた気になっており、大金を何に使おうか考えていた。きっと、中には一万円札が何枚も入っているのだ。届け出る気など、もちろんあるはずがなかった。

その頃になると、地図はだいぶ大きなものになっていた。最初はグラフ用紙一枚におさまるだろうと思っていたのだが、すでに十枚以上の紙がつなげられて、それでもなお完成する気配はなかった。それだけ下水道が広いということだ。それにどうも、下水道は立体的に入り組んでいるようで、地図を作成する木園はしばしば首をひねっていた。

また、何度も下水道を出入りしたため、下水道の中を歩くことになれてしまっていた。なにせ、地図さえあれば出口がわかるのだ。迷わないと思って、最初のころにあった注意力、危機感みたいなものがうすれていた。

「ようし、この次の角をまがった所に、財布があるぞう！」

木園が鼻息荒くそう言った。私も、懐中電灯を持つ手が震えそうだった。当時の私らにとっては、千円でさえ大金で、何でも買えたんだ。それなのに校長の財布である。私らは最高に盛り上がって、角をまがった。

そこには天井からそそぐ太陽の光が見えるはずだった。でも、何もない。今までと同じように、どこまでもまっ暗な通路が続いているだけだったんだ。

「あれ？　次の角かな？」

なかった。次の角にも、その次も。わかれ道にマジックでつけていたはずの印もない。ようやく私らは、なぜ目的地につけないのかを悟った。地図がまちがっているのだ。それまでの下水道の探索は、行った道を戻るという単純なことの繰り返しだったので、地図がまちがっていることに気付かなかったんだ。

突然、木園が私に地図を叩きつけた。

「耕平、おまえ歩数をまちがえたな！　バカ！　かんたんな仕事もできないのかよ！」

顔をまっ赤にして私の服をつかんで、ゆさゆさ振った。意外なりゆきに私はあせった。

「あ、淳男こそ地図を描きまちがえたんじゃないのか⁉　どうするんだよ、財布の場所に行けないじゃんか！」

私らはケンカした。その最中に私は、明かりのついたままの懐中電灯を落としてしまって、それがきっかけで一時休戦した。こんなにまっ暗じゃケンカもできないというんで、ケンカをするのに必要な明るい場所へ出たくなったんだ。本当はまっ暗になるのが怖かったのだが、木園の前なので、いたって平気な様子をよそおった。

「おれはね、財布がどうとかで怒ってんじゃないんだ。ただ、作りかけの地図がまちがってたことがくやしいんだ……あーあ」

木園はそう言って、落ちていた地図をひろった。私も、つかみあいの最中に落としてしまった懐中電灯をひろおうとした。しかし、指を怪我していたのでつかみそこね、円筒型の懐中電灯がころころ転がり始めた。

「……坂になっているんだ」

木園が言った。私は転がる懐中電灯をあわててひろった。たった一つの電灯なので、なくしてしまったら、私らは暗闇へ置き去りにされてしまうのだ。

その後、懐中電灯の転がろうとした方向へ歩いた。来た方向とは逆だったのだが、木園がむっつりとだまったままそちらへすすむので、行かなければならなかった。私は心配して、「こっちの方向でいいのか?」と聞いた。やつは、「もう地図のどの辺にいるのかわからない」と答えた。私らはすでに、どこまでのびているのかわからない下水道のなかで、迷子になっていたんだ。

わかれ道になるたびに、私らは懐中電灯を転がして下り坂の方へと進んだ。体では感じないほどのゆるやかな下り坂だったが、長く歩いているうちに、これはそうとう深いところまできたんじゃないかと思えた。

やがて、私らは下水道の最下層まで到達した。いや、最下層というのは正しくない。下水道自体はまだまだ深く続いていたのだが、水がたまっていて先に行けなかったんだ。道が崩れて行き止まりになることは何度かあった。だが、水は初めてだった。

その場所は、それまでの通路よりもさらに広くて大きなトンネルになっていた。また、ここにきて角度がぐんと傾斜していた。

上の方の下水道は全部ここへつながっているんではないだろうかと私は推測した。最初小さな川だったのが、大きな川の流れへ収束するように、下水道が全部ここへ集まってくるのではないか、と。

大きな通路の途中から水がたまり始めた。道は傾斜しているので、先へ進むと水かさが増す。下水道の先は水中に沈んでいる。

私は懐中電灯で辺りを照らした。まるで地底湖だ。しんとしていて、音もない。風がないから、水面に動きがない。まるで死んでいるようだ。懐中電灯の光をうけて、水面が黒い昆虫の背中のように光った。私はとにかく気味が悪く、怖くなった。この世の果てというのはこのような場所なんだろうかと思った。

少しはなれた足下に空き缶が落ちていた。こんな所にも空き缶？　と不思議に思った。

「これは川の水だな。大雨がふって、川の水位が上がる。下水道の入り口が水の中に沈んで、下水道に川の水が流れ込む。下水道に流れた水は、下へ下へ流れて、やがてここに集まってくる。川にすてられていたゴミが、こんな所まで流されてきたんだ。やっぱりこの下水道は、川の氾濫を防ぐために作られたのかもしれない。川からあふれそうになった水を一時的にためておく所なんだろうか？」

私らは、ポケットに入れていたマジックで、壁に名前を書いた。『管耕平《かん》』『木園淳男』、ケンカの最中だったので、二つの名前の間にはすきまがあった。

ところで、下水道から出るにはどうすればよいのか。木園は次のように提案した。

「下り坂ばかりを選んで最下層までやって来たのだから、今度は上り坂の方を選んで歩けば、やがて入り口まで行けるんじゃないか」

だが、一番最初のわかれ道でその作戦はつまずいた。さきほど考えたことの逆だ。何本もの枝が幹から発生しているように、上の方のたくさんの通路はすべて、最下層の大きな通路から発生しているとする。下水道には崩れて行き止まりになった箇所《かしょ》があって、例の橋の下以外にも昔は出入り口があったんだろう。そう考えると、最下層である大きな通路から上を目指そうとする場合、道の選択肢はたくさんある。そのどれもが上り坂なのだから。しかも、それが必ずしも例の橋の下へ出るとはかぎらないんだ。

　それでも私らは歩いた。とにかく歩いて、下水道から出たかった。歩いていればそのうち、マジックで印をつけた場所を発見できると思っていたんだ。印とは、わかれ道をどちらから来て、どちらへ進んだのか示す矢印だ。つまり、矢印を逆にたどれば入り口へ戻れるわけだ。一個だけでいい、一個だけ、矢印のついたまがり角を探しだせれば。そんな希望も、やがて消えた。

　懐中電灯の光が少しずつ暗くなり、消えてしまった。電池切れだ。私は信じられず、何度かスイッチを入れなおしてみた。だめだった。まっ暗で、何も見えなくなった。

　私は家を出る時、予備の電池を入れたリュックサックは必要ないと判断した。まさか、道に迷うとは思っていなかったんだ。それに、木園のヘッドランプも電池切れだ。もう、生きている電池はどこにもなかった。

　それでもなお、暗闇の中を歩いた。ケンカの休戦中にしゃ、く、だったんだが、ばらばらにならないよう、私らはお互いに手をにぎった。明かりも何もない、まっ暗な状態で、てきとうな方向へとにかく歩いた。

　かなり長い時間を歩き続けた後、体力の限界が来て、私らはその場に座り込んだ。暗闇に呼吸する音だけが響いた。

その段階にいたって、私は生まれてはじめて本格的に自分の死を予感しはじめた。考えが甘かった。下水道は、暗闇でてきとうに歩いていれば入り口に戻れるかも、という広さではなかったんだ。頭の中に下水道の地図があって、暗闇の中でも迷わずに進めるだなんて、そんなことできるやつ、私らは一人しか知らなかった。しかしきっと、そいつがいても役には立たない。やつは声だけ人間だ。消耗した私ら二人を外まで案内するなんて、声だけでは無理に思える。

私らはすでに、疲労と、死ぬかもしれないという思いで、ふたりともヘタリこんでしまっていた。

長い間動けず、疲労で私は眠りかけた。まっ暗闇で、眠るのにちょうどいい温度だったから、意識が朦朧《もうろう》としていた。

その時、だれかが私の右手をつかみ、そのまま力強くひっ張り立たせた。そして私はそのまま、手の引かれるがままに歩いた。寝ぼけたまま、ああ、回復した木園が私を立たせて、外へ連れて行ってくれてるんだあ、と思っていた。

「耕平？　耕平なのか？」

木園の声がした。

「耕平がおれの手をひっ張っているのか?」

「ちがうちがう、淳男こそ、ぼくの手をひっ張って歩いているんじゃないのか?」

私は一瞬で眠気がさめた。私をひっ張っているこの手が木園のものでないなら、他にこの暗闇にいったいだれがいるというのだ。

クスクスと笑い声がして、まさかと思った。

ほんの少し歩いた所で、外への光が見えた。電車の通過する音が、かすかに聞こえた。なんだ、そばまで来てたんじゃん。

「二人とも、あんな所で何してたのさ」

外の空気はうまかった。辺りはもう暗くなっていたが、目の前に立っているはじめの姿を確認できた。さも愉快そうな様子だった。

私も木園も、彼女に手を引かれて下水道を出ることができたんだ。

「もとはといえば、おまえが数をかぞえるの、邪魔したのがいけないんだぞ」

「そうだ、はじめのせいだ。はじめが一番悪いんだ」

「とうぜんでしょ」

彼女は腕組みして言った。

私は自分の右手を見た。さきほどまで強くにぎられていたせいで、黄色く変色していた。

後日、例の財布は、校長が釣針と糸を使ってひき上げたという話を聞いた。本当なら私らのものになっていたのに、おしいことをした。

ところで、はじめとは何なのか、当時の私は密《ひそ》かにあれこれ考えていた。はじめという人間は私らが考え出したものだし、実在しないのは明らかだ。だが、見えるし、聞こえる、それにさわることができる。

あえていうなら、はじめは幻覚だ。しかも私と木園に共通して見えるという、とびきり特殊な幻覚なんである。

たとえば、こんなことがあった。

はじめと友達になってしばらくたったある日、学校の授業が終わり、私と木園は並んで校門を出た。帰宅ラッシュで、まわりには大勢の生徒達が歩いていた。そんな時、後ろからものすごい元気な声で呼び止められた。

「おーい！　耕平！　淳男！」

あまりの大音響で、飛んでいる鳥さえ落ちてきそうだった。私と木園はおどろいてふり返った。はじめが手をふっていた。

しかし、はじめの大声に気付いたのは私らだけだった。みんな気付かず、何事もなかったかのように歩いていた。実際、まわりの世界では何事もなかったんだ。証拠に、電線にとまっていたすずめは大声に気付かず、おどろいた気配すらなかった。

つまり、はじめの姿が見えるのも、声が聞こえるのも、世界で私と木園だけなんである。私らの幻覚なんだから、当然だ。

冬、駄菓子屋のばあさんが死んだ時、私らは店へ泥棒に入ることにした。その話を持ってきたのは、もちろんはじめだった。

「駄菓子屋、もうやめちゃうんだってさ、本当よ、うちのおばあちゃんに聞いたもん。だから、どうせ店やめちゃうんなら、残ってるおかしぬすんだってかまわないよ」

はじめの家は隣町にあるのだが、やつは土曜日になるとひとりで祖母の家へやってくる。おばあちゃんっ子なので、土日は祖母の家ですごすことにしていたんだ。祖母の家はうちの近所にある。私ら三人はたいてい土日を利用してあつまって遊んでいたんだ。

全部、何か月も前に木園と作った設定だった。しかし私らは、はじめの祖母の家を知らない。うちの近所にあるという設定だけ作って、場所の特定はしなかったんだ。だから、夕飯の時間になって、私らとわかれたはじめがどこへ帰ってゆくのか不思議だった。

しかしまあ、私らははじめに言いくるめられ、駄菓子屋荒らしをするはめになったんだ。

はじめの提案で、その日の夜に決行した。夜中にこっそり家を出て、駄菓子屋から少しはなれた所で待ち合わせた。冬の、風が冷たい夜だった。

待ち合わせ場所には私が一番早く到着し、その次がはじめだった。やつはいつのまにかこっそり忍び寄り、冷たくなった手を私の首筋におしつけた。私はたまらず、悲鳴を上げた。怒るとやつは、「わるいわるい」と白い息を吐いて笑った。

毛玉のついたセーター、冬なのに半ズボンだった。耳や鼻を赤くしていた。

木園が来るまで、私とはじめはくっついて寒さをしのいだ。やつはその夜もブルーベリーのガムを嚙んでいたので、息はその甘い匂いがした。もちろん、その匂いも幻覚だ。

ついでに言う。私の首筋に当てられたはじめの手は、実際に冷たく感じた。だが、それも私の錯覚である。やつの吐いた白い息も幻覚だし、街灯によってできた影も私の幻覚だ。本当はいない。そこにはだれもいなかったんだ。ただ、私の五感すべてが、満場一致の賛成ではじめの存在を認めてしまっていた。目、耳、鼻、全部がそろってまちがいを起こして、はじめという幻覚を見てしまったんなら、いるのと同じだ。実際、くっついていたら寒くなかった。ほかほかしてきたんだ。あれも錯覚だったんだろうけど。

木園がそろい、私ら三人は駄菓子屋へ忍び込んだ。駄菓子屋のばあさんは一人住まいで、息子夫婦が近所に住んでいた。したがってその夜、ばあさんのいなくなった駄菓子屋へ入るのを拒む者はいなかった。

結果、私らは大量のおかしやらおもちゃやらを両手いっぱい手に入れることができた。ただし、はじめは見ているだけだった。正確には見張りだ。私と木園が両手に獲物をかかえている時も、はじめは手ぶらだった。

私らははじめに、何で手ぶらなのかを尋ねるようなことはしなかった。答えは一目瞭然だ。やつが私らのたんなる幻覚だから、たとえ十円のお菓子であろうと、いかなる質量も動かすことはできないのだ。つまり、はじめは私ら以外のあらゆるモノに対して、全くの無力なのである。これは当たり前のことで、しかも大事なことだ。幻覚は、私らが感じてこその幻覚だ。私らに見えたり聞こえたりするからはじめがいるんであって、やつが実際の物理法則に触れることはできない。

あの日、はじめに握られて黄色く変色した私の手、あれは私の体が錯覚してああなったものなんだ。いつだったかテレビで、火のついていないタバコを手におしつけられ、火傷《やけど》をする人を見た。たしか催眠術の番組だった。その火傷は、催眠術によってタバコに火がついているものだと信じこまされたからできた火傷だったんだ。私の場合、あれと同じだ。肉体は精神の下《もと》で活動している。人間てやつは、思い込むとそうなってしまうんだ。

そのことについて、その夜、はじめは何も言わなかった。でも、自分が幻覚で、私らとはちがうのだということを、その時すでに自覚していたんじゃないかと思う。

駄菓子屋で得たものは下水道の入り口あたりに隠した。その場所は私ら三人の隠れ家にもなっていた。

駄菓子屋事件の噂はまたたくまにひろまった。しかも大人たちの間では、これははじめの仕業《しわざ》ではないかという話になっていた。はじめならやりかねない、なぜなら悪い子の代名詞、あのはじめなのだから、というふうに。

町の人間はみんな、はじめという女の子の存在を信じて疑わなかった。いや、それだけではない。日頃からはじめをいまいましく思っている人間ほど、「はじめらしき女の子を見たことがある気がする」と言うのだ。

たとえば母がそう言っていた。しかし、「いつ？　どこで？」と私が聞き返すと、母は首をかしげて思い出せないでいた。

「さあ、どこでだったかしら。でも、たしかに見たのよね、噂で聞いたとおりの格好だったから、まちがいないわ。隣の石橋さんの奥さんも見たって言ってるし。ところで耕平、あなたまさか、はじめとお友達なんじゃないでしょうね。だめよ、あんな悪い子とお友達になっちゃ、話をするのもだめ。見かけたら、すぐにお母さんとこ知らせなさいね」

私は複雑な気持ちで、うなずいた。


私ら三人はそろって中学生になった。私と木園は同じ中学校へ、はじめは隣町の中学校へ通うことになった。といっても、はじめは実際に学校へ通っていたわけではないのだろう。幻覚が学校に通うなんて話、聞いたことがない。しかし、見せてもらった生徒手帳は本物っぽかったし、校章も隣町の中学校のものだった。まあ結局はすべて存在していなかったんだと思う。校章も生徒手帳も全部幻覚だったんだ。

当時はそんなことよりも、身長ではじめに負けたことがくやしかった。私らが三人で遊ぶようになってすでに三年近くたっていたが、それまでは私が三人の中で一番背が高かったんだ。はじめが、「やったね」と言って、わざわざ私の前で背伸びをしてからかった。

そんなある日のことだった。いつもなら橋の下の、下水道の入り口付近でひまをつぶしている私ら三人だが、なぜかその日、これから私の家へ遊びに行こうということになった。どういう成り行きだったかは忘れた。とにかくそうなったんだ。

私らの場合、下水道という場所がなんともすごしやすく、だれかの家で待ち合わせて遊ぶということをほとんどしなかった。下水道は暑すぎず、寒すぎず、親もいないのだ。だから、はじめが私の家へ来るのは初めてのはずだった。

私の飼っている犬を庭先でしばらくいびった後、彼らはクツを脱ぎ散らかして家へ上がった。二人とも、私ほど行儀がよくなかったんだ。ちなみに、この時はじめが脱いだクツも、もちろん幻覚である。私や木園には見えるし、触った感じもする。本物と寸分たがわないが、他の人から見れば空気と同じなんだ。

彼らはさっそく私の部屋を検査して、棚に飾ってある怪獣の塩ビ人形をバカにした。実は、それらのたぐいの人形はもっとたくさんあったのだが、下水道に置いていた時、なくなってしまった。いつか木園が言ったとおり、大雨になると下水道全体に水があふれた。それで私の怪獣の人形がほとんど下水道の奥へ流されてしまったというわけだ。ものすごくマイナーな人形ばかりだったから、当時は別に気にしなかった。

しばらくたって、母が部屋のドアを開けた。もちろん、母にははじめの姿なんて見えない。

「あら、こんにちは淳男くん。うちに来るなんて、珍しいわね。ところで耕平、ちょっとおいで」

母は私を手招きして、部屋の前で話しはじめた。扉を一枚へだてただけだったので、会話は部屋にいる二人（実際は一人）にも聞こえているはずだった。

「耕平、あなたさっき淳男くんと、はじめがどうとかって話していたでしょう。ひょっとしてあなたたち、はじめと知り合いなの？」

私はとっさに、やばいな、と感じた。母は悪い噂ばかり聞いていたから、はじめのことを悪く思っているのを私は知っていた。しかし私は、「はじめなんて知らないよ」と答えるわけにはいかなかったんだ。なぜなら、すぐうしろの部屋の中で、当のはじめが聞いているんだから。

もし私がはじめの立場で、はじめが母親に、「耕平なんて友達じゃないから」なんて言うのを聞いてしまったら、私は友達に裏切られた気がして悲しむだろう。

だから私は母に言ったんだ。

「ああ、うん、友達だよ」

「友達⁉ なに言ってるの、あのはじめなのよ! あれほど口をきいちゃダメって言ったでしょう!」

「……でも、それほど悪いやつじゃないよ」

私がそう言うと、母はさらに高い声で、いかにはじめが悪い行ないをして大人を困らせるダメ人間かを説明し、はじめと話をするなと私に命令した。

私は母にめったに反抗したことがなかった。いつもなら母が怒ると、私は怖くなってすぐにおれた。だけど、その日ばかりは私のプライドにかけておれることはできなかったんだ。

むしろ、私と母の会話を部屋で聞かされているはじめのことで心が痛んだ。

母をようやく追い返し、私はおそるおそる部屋へ戻った。話を聞いたはじめが怒ったりしているにちがいないと思っていた。しかし、はじめは普通にしていた。たんに、「長い話だったね」と言っただけだった。

木園が口の動きだけで私に、『バカヤロ』と言った。

二人が帰る時もそんな感じのことがあった。

家へ上がる時に脱ぎ散らかした木園のクツが、ていねいに並べられていたんだ。私の母のちょっとした心配りだったんだろう。だけどはじめのクツは母に無視された。散らかったままにされていたんだ。

　はじめのクツなんて母に見えるはずがないし、見える見えない以前の問題だってことはわかっていた。しかし、妙にはじめが不憫《ふびん》に思えた。きっとはじめが、別に気にしてないよ、という顔をしていたからだ。

　気にしてないはずはなかったんだ。その日以来、だれかの家へ行こうという話になると、はじめは、「ちょっとヤボ用があるもんで」とか言って避けるようになったし、急によそよそしくなった。きっと、はじめもいろいろなことを考えたのだと思う。

　あの日、私の家から去るはじめに、私はいちおうあやまったんだ。

「ああ、うん、何とも思ってないよ、それよりもさ、ありがとうな」

　なぜか私は感謝され、不思議なことに、その時のはじめは気恥ずかしそうにしていた。

　はじめは、まわりの大人たちが思っていたほど悪いやつではない。むしろちょっとした差別に敏感で、意外に繊細《せんさい》なやつだったんだ。それは、はじめをつくった私と木園がよく知っている。そのくせ長い間私らと友人でいられたというのは、実におどろくべきことだ。

幻覚なんてすぐに消えてしまいそうなものだし、ふいにゆらいでいなくなれば、それで終わりだ。本当によく長い間いっしょにいられたものだと思う。

あの下水道のなかで迷った日からずっと、私らは下水道の奥へ行こうとはしなかった。一人になりたい時なんかに下水道のなかへ入ることはあったが、たいていすぐに戻れる範囲までしか踏み入らなかった。

下水道の終点である水溜まりの場所、あそこまで行ったんだからもういいじゃないか、という雰囲気が私と木園の中にあった。あそこまで行った証拠として、町の秘密文化財に名前まで残してきたんだから、と。

私はその場所のことを思い出すと、なぜか不安になった。暗い水中へ続くあの道を、何度か夢にまで見たんだ。

木園も、もう行きたくないと言った。

「あそこにはたくさんの魂が沈んでいるんだ。考えてみなよ、大雨で川が増し、下水道にその分の水が流れ込むだろう、すると、たくさんの魚も水といっしょに吸い込まれる。やがて雨がやみ、下水道を満たしていた水はどこかへ引いてゆく。でも、魚たちは結局、吸い込まれたまま出られない。そこで死ぬんだ。そんな場所へ行くのはもうごめんだ」

下水道最下層の静かな水面を思い出した。波ひとつなく、しんとしていた。暗くて、なるほど死んだら魂はここへくるんじゃないかと思えた。

ある日、私の家で飼っていた犬が死んだ。最初は別段かなしくもなんともなかった。その犬をかわいがっていたのは、もう大昔のことだったんだ。泣きたくなったのは、まる一日たってからだった。

「そういえばあの犬、ここ最近は鎖につなぎっぱなしで、散歩してやらなかったっけ。あいつ、不敵な面構《つらがま》えしてたよなあ」

というぼんやりした感情を皮切りに、次々と忘れていた思い出がよみがえった。

まだあいつが子犬だったころ、親に内緒で部屋に連れ込んだこと。うれしそうにくるくるまわっていたっけ。ああ、いったいいつからおれとお前は冷めた関係になってしまったんだ。

ピチョーン、という水滴の音とともに、私の頭の中にある映像が浮かんだ。犬がヘッドライトをつけて、下水道の最下層をめざし歩いている姿だ。そうか、あの水溜まりの向こうがわは来世なんだ。

妙な発想とともに私は下水道へ入り、こっそり泣いた。

不運にも、その姿をはじめに見られてしまった。私の人生の中で、最も格好悪い思い出だ。中学生にもなって泣き顔を女の子に見られるほどくやしいことはない。

「私は犬が死んだくらいじゃ泣かない」

はじめに言われて、かっとなった。それでつい、口にしてしまった。

「おまえなんて幻覚のくせに」

「……はいはい、そうですね。でもまあ、見なかったことにするよ」

しばらくして落ち着くと、私は自分に対して、「なんてひどいやつなんだおれは！」と思った。しかし、やつはもうそのことを忘れたかのように振る舞い、結局すぐに謝ることができなかった。


中学校では木園と別のクラスになっていた。私に新しい友人ができたが、木園やはじめほど本心の言える人間じゃなかった。でも、新しい友人たちもはじめのことを知っていた。なんでも、彼らの住んでいる地域にもはじめの噂が聞こえてきたらしい。なんでこんなに有名になってしまったんだろう、と私は不思議だった。それほど最初の、ヒヨコを殺す女の子事件がショッキングだったのだろうか。

私は、友人たちの話をだまって聞いた。

「はじめの噂、おれの通ってた小学校まで聞こえてきたぜ。それに、俺の兄貴の友人の先生が見たって言ってた」

「中学生に成長したはじめを見たっていう人までいるもの。俺らとタメだったんだなあ、きっと筋肉隆々の大女に成長してるんだろう」

私はおどろいた。

「お、大女⁉」

「だって小学生時代、近所の中学生を病院送りにしたんだろ？」

「ちがうよバカ、気に入らない先生の鼻を嚙みちぎったんだよ！」

すると、話を聞いていた女子生徒が話に加わった。

「私が見たはじめちゃんはやせてたわ、背も普通だったし、すごくかわいい子だったわよ」

「見たの？」

「このまえ買い物して街を歩いてたら、それらしい髪の短い子がいたのよ。きっとあれははじめちゃんにちがいないわ」

おー、すげー！ とみんな声を出した。

「ねえ、缶コーヒーはじめの情報ないの？」

友人が私に尋ねた。『缶コーヒー』というのは、私につけられた愛称で、管耕平という私の名前をもじったものなんである。

「ぼくは別に、はじめには詳しくないなあ」

そしてまた別のクラスでは、木園淳男が『磯野《いその》カツオ』と呼ばれていたらしい。


ある冬の日、はじめが下水道の中でふさぎこんでいた。

下水道の入り口から少し入った所に、毎年冬はストーブを運び込んでいる。風が入らないから、それだけでけっこう暖かくなるんだ。

その日、私が下水道へ行くと、ストーブを囲んで木園とはじめがだまっていた。

「はじめのおばあさんが死んだってさ」

木園が私に説明してくれた。

はじめは目を赤くはらしていた。

「格好悪いなあ、耕平の犬が死んだ時、私は泣かないって言ったのに。そういやああの時、耕平を怒らしたっけ、申し訳ない」

やつはストーブに手をかざして、話を続けた。幻覚でも寒いものなのか、と思った。

「でもあの時の耕平の言葉ったら！『幻覚のくせに！』だったっけ？　あーあ、本当はものすごく傷ついたんだよ」

「すまねえ」

「私はきみらの網膜にうつる幻みたいなもんよ、どうせ。きみらが勝手に見ている白昼夢みたいなもんです。いないんです、私、本当は。でもね、私のおばあちゃんはたしかにいたのよ。きみらは見たことないでしょうけど、家もあった。私はおばあちゃんの家でよく寝泊まりしていた。玄関を上がると、おばあちゃんがごはんの用意してる。嫌いだってのに、漬物を出すのよ。私用のふとんがあって、部屋もあった。いろいろ着替えも持ち込んでた。勝手に部屋のものを触られるのが嫌いだから、部屋を掃除したおばあちゃんに、怒った時があった。その時おばあちゃん寂しそうな顔をした。全部思い出せるのに、本当は私自身がきみらの幻だなんて、本当に不思議だと思う」

自分が幻覚だということについて、話をしたのは初めてのことだった。その時のはじめは心細げに見えた。野球帽も、鼻水のついたセーターも身に付けていない。どこにでもいる、ふつうの服を着た女の子だ。昔の活発なところが見えないくらい落ち込んでいた。

その日からはじめは私らと別れた後、バスで隣町の実家へ帰るようになった。やつの祖母は一軒家に一人住まいだったのだが、はじめの親が今度、その家を売ることにしたんだそうだ。

私と木園は何度か、はじめをバス停まで送ったことがあった。私ら三人がバス停で待っていると、やがてバスが止まる。乗車口が開き、はじめが軽い足取りで乗り込む。私と木園がそれを見ていると、運転手が、「乗らないんですか?」という視線を私らに投げる。運転手は、バス停に立っている私と木園を見て、バスを止めたんだ。すでにはじめが乗ったことには気付かない。走りだすバスの一番後ろの席から、はじめが私らに手をふった。子供のように。

私の家の隣に石橋という一家が住んでいた。石橋家には四歳か五歳くらいの男の子がいて、名前をノビヒロといったが、私はたいていノビと呼んだ。

ノビと私が仲良くなったのは、中学三年の頃だった。中学三年といえば受験だが、当時、私は勉強が嫌いになり、急に成績が落ちこんでいた。木園は昔から学校の勉強に興味がなく、たいてい成績は悪かったのだが、ひとたび勉強をはじめると成績は急上昇した。また、木園が本格的に写真にこりはじめたのもその頃だ。私が困り顔ではじめに勉強を教わっているところを、「なさけないなさけない」と言って何度も写真に撮っていた。

私ら三人の中で一番勉強ができたのは、意外なことにはじめだった。私や木園が解けない問題を、私らの幻覚であるはじめがすらすら解くのは何だか妙な感じだった。

橋の下ではじめに勉強を教わり、くたくたになっていた当時の私は、ある日、デパートのおもちゃ屋へ行った。私は小さな頃からおもちゃ屋が大好きで、そこへ行くと、日ごろ私の心にかかっていた応力やひずみが回復するような気がしたんだ。そこで偶然、ノビと会った。ノビは店頭で流れているテレビゲームのデモ画面をずっと眺めていた。私はそのゲームを持っていたので、幼稚園児を相手に自慢して、勉強でたまったストレスを発散させた。ノビがうらやましそうな顔をしたので、私はとてもいい気になった。

それまで別段、私とノビは仲が良かったというわけではないのだが、その日以来、私の家にノビが遊びに来るようになった。もちろん、ゲームをするためだ。

そのことを木園やはじめは笑った。中学三年生と幼稚園児がゲームで遊んでいることがおかしいのだそうだ。私の方は笑い事ではなく、困りきっていた。ノビはお菓子を食べちらかすし、鼻水をたらすし、部屋に飾っていたプラモデルの首をもぐのだ。かといって追い返すわけにもいかず、私の部屋は日に日にノビの子供部屋と化していった。

ある日、下水道の入り口の場所をノビに気付かれてしまった。橋の下のコンクリートの足場で、私と木園がトランプでポーカーをしていたら、ひょっこりノビが現れたのだ。わけを聞くと、どうも私の後をついてきたらしい。ノビは私と木園の顔を交互に見て、にやりと笑った。

その場にははじめもいて、突然現れたノビの真横に立っていたのだが、ノビが自分に気付かないのを見て、悲しげに目をふせた。私が見ていることに気付くと、はじめは首をすくめて、困ったもんだと私にほほ笑んだ。

これは秘密だからなとノビに言い聞かせたが、私は心配だった。ひょっとしたらみんなにしゃべるんじゃないかと木園も言った。しかし数日たっても下水道の噂は聞かなかった。ノビは秘密を守ったのだ。そのかわり、時々ノビは橋の下へやって来るようになった。

その後、私と木園は同じ高校へすすむことができた。さすがに高校ともなると、はじめの噂を聞いたことのある人間はほとんどいなかった。たまに、昔の友達に会った時、はじめのことを思い出させると、「ああ、そんなやつもいたなあ」となつかしそうに言った。

はじめだけ、私や木園とはちがう高校へ入学した（ようだった）。いつか偶然、街を制服姿で歩いているはじめに会ったことがある。やつは茶色のブレザーを着て、妙にかしこまっていた。私が手をふると、うれしそうな顔をして、猫のようにかけてきたんだ。

「働けるところを探してるんだけど」

はじめはそう言っていた。幻覚の女がはたらける場所なんて、そうそうみつかるもんじゃないだろうなと思っていたら、数日後、バイト先をみつけたという報告を聞いた。

「駅前に本屋があるでしょう、そこでレジを打ってるんだ」

本屋の名前と住所を聞くと、たしかに駅前にはそういう本屋があったような気がした。本屋の名前も、内装も、記憶にある。住所も存在しない場所ではなかった。しかし、行こうとすると何度も道をまちがえて、結局のところたどりついたためしがないのだ。

「はじめはどんな制服を着てたって？」

本屋のことを木園に話したら、彼は制服に興味を示した。実は、はじめがどこの高校に入学したのか、私らは全然知らなかったんだ。学校名を聞こうとすると、なぜかいつもはぐらかされた。

思い出せる範囲で制服のことを説明すると、木園は少しおどろいたようだった。彼の話によると、その制服は非常に頭の良い学校のものなのだそうだ。学校名を聞くと、私もおどろいた。私らの通っていた高校より何ランクも上の学校だったからだ。

ある日、ノビが下水道の入り口でおしっこをした。それ以来はじめはノビのことを、憎しみをこめて「クソガキ」と呼ぶようになった。高校生にもなって中を探検するというわけでもなかったんだが、私らは下水道のことを我が家のように思っていたんだ。

ノビは最初のうち、私がはじめに向かって話しかけるのを不思議そうに見ていた。ノビにとって私は、何もいない空間に向かって話しかけているように見えたんだ。

だから木園が、はじめのことを説明した。

「きみには見えないかもしれんがね、ここには怖いお姉ちゃんがいるんだよ」

さすがに子供だけあって、ノビはすぐに信じた。そしてノビがはじめに向かって最初に言った言葉が、「ばーか!」だった。続いて、「はじめのばーか、あーほ」と歌った。

はじめはさっそくゲンコツでノビの頭を叩いたが、そこは幻覚、ノビにははじめなんて見えないし、存在しているわけでもないので、痛くない。痛いのは、ノビを叩いたはじめの方だ。いくらよくできた幻覚とはいえ、質量を動かすことはできない。はじめがノビをゲンコツで叩くことは、私らがコンクリートをゲンコツで叩くようなものだったんだ。

「はじめが鬼婆《おにばば》のように恐ろしい顔で怒っているよ、やめといたほうがいいよ」

私が説明すると、ノビはさらにうれしそうにはじめを怒らせた。で、はじめが私をゲンコツで叩くと、十分痛いのだ。わたしにははじめが見えるから。

それからまた数か月がすぎて、冬がやってきた。その年の冬は本当に寒かった。

「なんだ、今日もあのクソガキ来てないの?」

はじめが寒そうにしながら尋ねた。確か年末の忙しい時期だったと思う。

ノビが橋の下に来なくなって、二週間くらいたっていた。それまでは橋の下にもよく遊びにきていたんだが、私の家にも来なくなっていたんだ。「かぜでもひいて寝込んでいるんじゃないだろうか」と私は答えた。

「まあ、静かでいいや」

はじめはそう言った。ノビが来ない理由を私が知ったのはその夜だった。

当時、私らの家の近くを、毎夜、暴走族が走っていた。近くといっても、私らの家は道路のそばというわけではなく少しはなれたところに建っているのだが、眠っているノビの耳にはバイクの音が十分うるさかったらしい。暴走族が通るたびに寝ていたノビが泣き出し、寝不足でノイローゼ気味になっているということだった。

「ノビは寝不足だっていうのに、耕平は寝ていられるわけ?」

「こいつは鈍感だからね」

はじめと木園はそう言うと、二人だけで何かを話し合った。

話し合いの結果、私は、木園から青いプラスチックのバケツを渡され、深夜にある場所へ水をまきに行くことになった。なんだかよくわからなかったが、はじめの命令だそうだ。

場所は、郊外にある急カーブになった通りだ。ゆるい坂道になっていて、私は命令通り、深夜にそこへたっぷり水をまいた。

次の日、そこで暴走族たちが事故を起こしたという話を聞いた。なんでも、氷で滑って転んだらしい。ほとんど全員、病院へ運ばれたが、幸いみんな骨折や打撲ですんだようだ。

「『スピード落とせ』の標識があるのに、減速しないからだ」

木園が言った。

やがて、だれかが水をまいてわざと暴走族を転ばせたんじゃないか、という噂がたった。

「きっと、はじめのしわざにちがいない、なかなかやるもんだね」

そう大人たちがささやきあうまで、何日もかからなかった。

3

高校一年生の正月を橋の下でむかえた。元日ははじめの誕生日なのだが、はじめの誕生日を一度も祝ったことがなかった。ケーキを用意しても、幻覚であるはじめが食べられるわけでもないし、ろうそくの火を消せるわけでもないんだ。だからまあ何をするでもなしに、いつも三人でトランプをしていた。

トランプははじめが持ってきたものである。したがって、本当は存在しない幻覚なんであるが、私や木園には見えるし、手にとることもできたんだ。

もし、そのトランプで遊んでいるところを他人が見たら、きっとおどろいただろう。私らの姿は、何もない空間をにらんだり、突然に悲鳴をあげたりしているように見えたにちがいないんだ。

しかし、その年のはじめは元気がなかった。働きすぎでつかれているようだった。

「あいつのうち、今、家計が苦しいみたいだぜ。母親が入院だそうだ」

木園がこっそり教えてくれた。木園はよく、私の知らないところではじめに相談をもちかけられたようだ。私はたよられない男だなあと再度実感して、さみしかった。

「それであいつ、バイトを増やしたんだって」

私と木園は昔、「はじめは親で苦労している」という設定を作った。どうして軽々しくあんなことを言ってしまったのかと、私は後悔した。だから、「はじめは本当は資産家の娘だった」という設定をためしに作ってみた。しかし、はじめがその後、救われることはなかった。

「わたしが幻覚だってこと、自分でもよく知ってるつもりなんだ」

ある日、はじめが言った。

「たとえばわたしは、きみらの世界にタッチすること、つまり物を動かすってことができない。ノビのほっぺたをさわっても、石膏《せっこう》のようにかたいんだ。それが、タッチしたって言えるかい？　私は、きみらが見ている夢みたいなもんだから、物質的に他の人たちへ干渉できたら、現実的な問題として、まずいんだ。本当に不思議だよ。学校に行けば、私はだれとでも普通にしゃべれるし、バイト先ではきちんと客の応対もできる。でも、わたしの中にある『学校』や『バイト先』っていうのも、きみらが『はじめ』を構成する一部分として登場させたものにちがいないんだ。『おばあちゃん』もそう。きみらに自覚がなくても、きっと無意識的にね。きみらに会わなければ、わたしは自分自身を普通の人間として感じていられるかもしれないのに、なんでこうやってきみらと遊ぶかな、わたしは」

それを聞いていた私は、こう言った。

「しかしまあ一生に一度くらいは、私の住んでいる世界と、きみらの住んでいる世界の垣根が取れる瞬間もあるだろうね」

「それはない、絶対ない。物理的にない」

木園がそう言った。

はじめは否定も肯定もせず、じっとむずかしい顔をしていたんだ。


高校二年生の梅雨《つゆ》に、ひどい雨の日が続いた。もともと降水量の多い町ではあった。しかしその年の梅雨は特別だ。私は一生忘れないだろう。

雨が降ると川が増水し、私らのよく集まった例の橋の下は、たちまち水中に沈んだ。下水道も同じだ。今ごろ下水道の入り口は、底無しのようにがぶがぶ水を吸い込んでいるのだろうなあ、と雨の日に窓の外を見て空想し、震えた。そういった空想をすると、たいてい寒気《さむけ》がしたんだ。

ある日曜日の夕方、私が居間でテレビを見ていると、青ざめた顔の母が部屋に入ってきた。さきほどまで外はザーザー降りだったが、雨は止《や》みかけていた。

「となりの石橋さんとこのノビヒロちゃん、お昼ごろから姿が見えないんですって。家の中にいないらしいの、こんな雨ふりに、どこへ行ったのかしら」

なんだそんなことかとその時は思った。外はくもっているが、まっ暗な時間じゃない。そのうち帰ってくるだろう。もうノビは小学一年生なのだし、それまでにもまわりを心配させることがしばしばあったんだ。

例えば、夜の八時になっても家に戻ってこないので、ノビの親が警察に電話をかけようとしたことがある。私はその時、まさかと思いながら橋の下へ行ってみた。ノビは、下水道の入り口あたりで眠りこけていたんだ。

「だいじょうぶだよ。きっと、押し入れにでもかくれているんだ」

「でも、何度も探したそうよ」

「何度探しても、みつからない場合だってあるんだよ。忘れたころにひょっこり現れるものなんだ」

「この町、水難事故が多いから心配だわ。ノビヒロちゃん、川へ落ちてなきゃいいけど」

夜になってもノビは現れず、決定的な証言まで出てきた。近所に住んでいるじいさんが昼に、回覧板を届ける際、川のそばでノビらしき男の子を見たというのだ。

母がいよいよ本格的に心配そうな顔をした。ノビが川に落ちたという話は、すぐに近所へ広まった。

夜のうちに雨は止んだ。私は眠っていられるはずもなく、川の方へ向かった。ノビが目撃された川というのは、下水道の入り口のある川だった。

ひょっとしたらノビは、いつものように橋の下へ行こうとして川へ落ちたのではないか。この時期、増水してあの場所は水の下になるのだということを知らずに、いつものように遊びに行ったのではないか。そういう考えが浮かんだ。

川のそばでは、大勢の大人たちが長い棒を持って川をつついていた。懐中電灯の明かりが川に沿って連《つら》なっていたので、祭りのようだった。

そこで木園に出会った。木園もだいたいのことは知っているようだった。

「生きていると思うかい？」

私が尋ねると、木園が冷たいことを言った。

「最後に目撃されたのは昼だろう？　可能性は少ないんじゃないか？　おれたちが心配し

たって、死んでる時はもう死んでるんだよ」

私は、もうお前の顔なんか見たくない、と木園に言った。木園はしぶい顔をしたが何も言わず、パチリッ、と辺りの光景を写真におさめた。金輪際、何があったって、もうおまえの写真は見ないからな、とも私は言った。

次の日、私は学校があったが、休んでごろごろしていた。空はくもっていたが、雨ではない。結局、昨夜のうちにノビが戻ることはなかった。

昼ごろ、私あてに電話がかかってきた。母が、「淳男くんからよ」というので、私は受話器を受け取るとすぐに電話を切った。

「散歩に行ってくるよ」

母にそう言って、家を出た。自然に足が川の方へ向かった。もう、昨夜いた大人たちはいなかった。もっと下流の方を調べているのだと、母から聞いていた。どうやら大人たちは、下水道の入り口に気付かなかったようだった。

川の水かさは普通の日よりも少しだけ高いくらいに引いていた。これくらいなら、もう下水道の中に水は入らないだろうと思えた。

橋のあたりではじめに出会った。

「やあ、ひさしぶりだねえ」

はじめは笑って私に手を振った。雨の日が続くと、橋の下に集まることができなくなる。だから梅雨になると、なかなか会えないんだ。もちろん、はじめが私や木園の家に来るのなら別だが、それをしない。

「どう、元気だった？　……なに？　なにを泣いているの？」

ノビのことをはじめに話した。最初のうち、悪い冗談だと思っていたらしいが、やがて私が真剣であることを知ると、やつの顔から血の気がうせた。リスか何かのように不安げに、おろおろとうろたえた。

はじめにノビのことを話し終えた時、キュッ、という音をたてて目の前に自転車が止まった。木園だった。やつの顔を見ると私は不快になり、顔をそむけた。

「こんなところにいたのか、電話したんだぜ」

木園ははじめの方をちらりと見て、「ちょうどよかった！」と叫んだ。

「ノビのこと、本当なの!?」

はじめは木園にしがみついた。しがみつくといっても、もちろん、木園の服にしわがよるなんてことはないのだが。

「どうやら、川へ落ちたのは本当らしいね。でも、一つ、わかったことがあるんだ。いい知らせだぜ」

木園は眼鏡をキランと光らせて、自信のある態度だった。私とはじめはさしずめ聖者のおつげを聞く貧しい家の子みたいな顔をしていただろう。

「今日、小学校の朝礼で校長先生が、ノビのことを話題にしたらしいんだ。いや、のんびり話している時間はないね、今は急がないといけない！」

木園は私らの目を見て話を続けた。

「つまりこういうことなんだ。小学校にノビの幽霊が出た。幽霊といっても、声が聞こえるだけなんだ。まわりにだれもいないのに、タスケテ……、っていう弱々しい声だけがするんだそうだ。声を聞いたのがノビのクラスメート、小学一年生の女の子で、たしかにノビの声だったそう。その子はあまりに怖くて、その場で思わず吐いちゃったそうだよ。でも、まわりをいくら探してもノビはいない。もう学校中すごい噂《うわさ》なんだ」

タスケテ……。その声が聞こえたような気がして、頭にこびりついた。木園は何が言いたいんだ？

「耕平、こんなところで立ち話している場合じゃない！　さあ、はじめ、道案内をたのむ！　本当に、はじめがこの場にいて助かった！」

木園は私に懐中電灯を握らせた。

ダッ、とはじめが走る。

「まだわからないのか？　女の子がノビの声を聞いた場所、それはほら、財布の場所さ。川へ落ちたノビは、奇跡的に下水道へ吸い込まれたんだ。いや、そもそも下水道へ行こうとしていたのかもしれないが。とにかく生きてるんだよ。そして、流される途中か、ひっかかってるのかわからんが、下水道の、天井に格子のはまっているあの場所で、ノビが声を出した。なおかつ、その声を聞いた女の子がいた。ここまで幸運が重なるとまさに奇跡だね、生きる時は生きるもんだ」

私らははじめを先頭にして、下水道の奥、天井に格子のはまっている例の場所へ急いだ。

しかし、そこにノビはいなかった。

「きっと、流されたんだ」

それじゃあ、この下水道全体を探してまわるのか!?　と私は心配した。

「流されたのなら……。一番下の、水のたまってる場所だろうよ」

木園がそう言うと、私らを置いて、はじめがさっさと走って行ってしまった。とにかくはじめは必死だったんだ。出会って以来こんなに必死だったことがかつてあっただろうか、というくらいに。

しょうがないので私と木園は、持っていた懐中電灯を転がして、下へ下へと進んだ。そうすればたどりつけるはずだった。

あんな風に下水道の奥を目指したのは、小学校以来だった。下水道の中は、ずいぶん変わっていた。きっと雨の直後だったからだ。湿っていたし、生臭い臭いがした。魚でも腐っていたのだろうか。しかし、不思議と大きさは変わっていないように思えた。私らの身長は伸びていたはずなのに、ひょっとしたら暗闇の中で、私らは子供に戻っていたのだろうか。

「はじめ、というのは、猫の名前だったんだ」

歩きながら、木園が言い出した。

「耕平もおれの部屋で猫の写真を見ただろう？　あれがはじめ一世なんだ。今のはじめは二世だね。小学四年生のヒヨコ殺害事件の時、とっさに思い付いた名前が、幼稚園のころ飼っていたメス猫の名前だったんだ」

「どうしてあの時、先生に、はじめは女の子だと言ったのか、不思議だった。女の子だとうそをつく必要はまったくなかったからね」

「……最初のうち、はじめ一世はオス猫だった。お腹が大きくなるまで、メス猫だと気付かなかった。でも交通事故で死んだ。子猫が生まれる直前だった。おれのおやじが、死んだはじめを段ボール箱に入れて、雨の日に川へ流した。でも、流す直前、聞こえたような気がしたんだ、箱の中で、何か小さな物音がしたんだよ。ひょっとしたら、子猫だったのかもしれない。はじめは死んだけれど、実はお腹の子猫は生きていて、箱の中で生まれたんではないかと思った。でも、確かめる間もなく、おやじが川に流してしまったよ。もちろん、その川っていうのは、そこの川さ」

「雨の日だったということは、その猫、下水道の中に吸い込まれたのかもしれないんだね。そして、これから行くところに沈んでいるのかもしれない」

「だからちょっと、怖いんだよ、あそこが」

　話をしているうちに、私はふと思いあたった。木園の猫の話は、私がヒヨコを排水溝に流そうとした話に似ている。

小学生だったあの日、私の罪をまるで以前見たテレビの解説を聞くように、つまらなそうに聞いてくれた木園は、自分と私を重ねていたのではないだろうか。

そう考えると、私をかばってくれた木園の気持ちが理解できるような気がする。当時の彼は、私をかばうことで自分を助けたんじゃないだろうか。

木園にとって、はじめをつくることは、猫を生き返らせることだったんだろう。はじめが化け猫だというわけではない、やつはまぎれもなく幻覚だ。そして木園の、猫たちに対するつぐないでもあるのではないだろうか。

私は、そういった木園とはじめの関係に、横から便乗していたにすぎない。そうとは気付かずに、ヒヨコを生き返らせるように、はじめづくりに同調したんだ。

……やっぱり考えすぎだろうか。

そのうちに、最下層の大きなトンネルへ出た。私らはさっと緊張した。

昔と同じように水がたまっていた。昨日下水道内に流れ込んだ水はすべて、そこへ集まっていたはずだ。しかし、以前来た時とあまり水位が変わっていないのは、どういう構造になっているのだろう。水面に浮いているゴミの量も割と少ない。懐中電灯で水面を照らすと、まるでオイルのように黒い色の水面が、ゆらめいて光っていた。ゆらめいていたんだ。風なんて無いはずなのに。

いた。ぷかぷか、ノビはあお向けに浮いていた。かたわらに、腰まで水につかったはじめがいた。泳いだように、髪までぬれている。はじめはノビの頬《ほお》に手をあてて、愛《いと》しげに顔を見つめていた。まるで母親のようだった、と今でも思い出す。


その後、ノビが呼吸していることを確かめて、私が背負って帰った。木園はフラッシュをたいて、まわりを写真におさめていた。

いなくなって一日以上たっていたので、ノビの命はほとんど絶望視されていた。そんなところへ連れ帰ったのだから、私と木園は英雄あつかいだった。ノビの親に涙で感謝された。大人たちにそんな風に扱われたことは私にとってはじめてのことだったので、これを機会に何かをねだろうと思った。

ノビをどこで発見したのか尋ねられたので、「小学校の体育倉庫の中に閉じ込められていた」と答えた。川のそばで目撃されたのは、小学校へ行く途中だったということにした。川は散々調べられていたし、下水道の入り口を知られたくなかったからだ。

それを聞いた大人たちは、「なんだ、そうだったの」という感じで急速に拍子抜けしていった。ノビの服がぬれていたことには気付かなかったようだ。もちろん、私と木園が英雄あつかいされることもなくなり、親にパソコンをねだった私は、「何いってんの！」と一蹴《いっしゅう》された。

それから一か月ほどして、パソコンのことをはじめに話したら、次のように言われた。

「あーあ、だめな人だね。もうちょっとさ、自分が英雄になれるような嘘をつけなかったの？　たとえば、はじめに誘拐されていたところを助けだした、とかさ。なんたって私には、ヒヨコ殺しの前科があるもんね」

「それについては本当にすまん！　もう二度と、自分の罪をなすりつけたりしない！」

「気にしてないさ！」

そう言ってはじめは笑った。下水道から戻ってしばらくぼうっとしていたはじめが、普通に笑っているのを見ることは、とにかくうれしいことだった。

その会話は、はじめと二人で道を歩きながらかわしたものだった。はじめはバス停へ向かっていた。辺りは暗くて、すでに夜だった。これからはじめは自分の家へ帰るところだった。もちろん、世界中のどこにも存在していない家だが、存在していないはじめの内にだけ存在しているという、極めて不確かな家だ。

辺りが暗くても、バス停のそばには街灯があって、はじめの影が地面にぼんやりできた。もちろん、その影も幻覚だ。

やがてバスが来た。ちょうど会話もつきたところだったので、うまくできてるもんだと思った。運転手が私を見て、扉を開けた。はじめが私をふり返った。ひどく小さく見えた。あ、そうか、もうずいぶん前に背を追い越してしまったんだな、と気付く。高校生になっても時々紫色の野球帽をかぶっていて、その時もかぶっていたのだが、最初の頃に比べてずいぶんこいつは変わったと思った。

「……ほなね」

実際は短い時間だったのだろうか、ずいぶん長い時間をかけて別れの言葉を口にしたように思う。はじめが軽いステップで、トントンと乗り込み、バスが発車する。一番後ろの席から、笑顔で手をふっている。それがはじめを見た最後だった。

次の日の朝、テレビを見ていたら交通事故のニュースが流れた。ほんの近所、バス停を三つか四つ越えたところにある少し大きな橋の上で起きた事故だった。どうやら橋の上でバスと大型トラックが衝突し、そのままバスは川へ転落してしまったようだ。

運転手とほとんどの乗客が死んでいた。子供がひとりだけ、奇跡的に助かっていた。

死者の名前がブラウン管にうつし出される。『死者　計6名』とあり、最後の六人目にはじめの名前があった。

あれ？　と私は思い、新聞を見た。事故を起こしたバスは、昨日、はじめの乗った時刻のバスだった。

テレビを見た母が言った。

「あら、全然知らなかったわ。すぐそこじゃない。まあ、五人も死んだのね」

五人？　私はもう一度テレビを凝視した。やはり、『死者　計6名』とうつっている。ああそうか、と私はようやく理解しかけた。これも幻覚なのか、と。母には『死者　計5名』という文字が見えたのだろう。まちがっていない。実際、ブラウン管でも、新聞でも、そうなっていたんだと思う。しかし私には、六人目の死者の名前が、特別に見えたんだ……。

それから数日間、私と木園は、橋の下ではじめを待った。とにかく信じられないという気持ちだけがあって、それは、長い間消えなかった。なんといってもはじめは幻覚なんだ、事故で死ぬなんてことがありうるだろうか。暗い気持ちで下水道の入り口で待っていたら、いつかひょっこり、「じゃーん」とか言いながら再登場するんだと信じていた。

でも、いつまでたっても、はじめは来なかった。

「……本当に逝《い》っちまったんだなあ」

木園の言葉をきっかけに、私は徐々にはじめの死を受け入れはじめた。いや、『死』という言葉が本当に正しいのかわからない。はじめはもともと幻覚なのだから、『消失』とでも呼ぶのがふさわしいのだろうか。でも、やっぱり私らにとっては、『死』の方が正しいように思えたし、悲しかった。

「はじめの母親も、悲しんでいるのだろうか」

私がそう言うと、木園はこれまでにないほど厳しい口調で言った。

「はじめの母親なんて、もう考えるんじゃない！　そんなやつどこにもいない！　これ以上、悲しむ人を増やす気か！」

ほどなくして彼は高校を退学し、遠くの街でカメラの修業をはじめた。

私は勉強が手につかないままだらだらと高校生活を送り、成績表を見た母は卒倒しかけた。いいんだ、別に気にしない。

そして、事故から一年がたった……。

4

待ち合わせの時間に少しおくれて、木園が喫茶店へ入ってきた。やつは、私のとなりに座っているノビを見て、少しおどろいていた。小学二年生になるノビを連れてくるなんて、木園に知らせていなかったんだ。

橋の上には、多くの花束が置かれていた。

さすがに事故の跡は修理されていたが、ああ、ここの手すりが壊れて、バスは落ちちゃったんだなあ、というのがわかった。下を見下ろすと、かなり高い。はじめは苦しまずに死んだのだろうか、と思った。しかし、はじめにとって、『苦しまずに』とか『楽に』という言葉はあまり適当でないことを思い出し、考えるのを止《ゃ》めた。なぜなら幻覚だったのだから。

風がびゅんびゅん吹いていた。買っておいた花束を置き、私らは両手をあわせた。ノビも真似をした。

私は目を閉じてはじめのことを思い出した。あれから一年がたつのに、細部まで詳細に思い出せる。姿も、声も、全部だ。そう、この感覚……。はじめと出会った時と同じだ。私が目を開けると思い描いた通り、はじめがそばに立っているんじゃないか、という幻想に取りつかれた。かすかに期待して目を開けたが、いるはずがなかった。

「帰るぜ」

木園が言った。ノビは木園と手をつないでいる。ああ、と私はうなずいて、振り返る。風のせいでシャツがバタバタと鳴った。

帰りかけた私らの目の前に、子供が立っていた。紫色の野球帽をかぶって、半ズボンをはいている子供だ。

私は心臓が止まるほどおどろいた。

「……はじめ?」

いや、ちがう。その子の顔をよく見ると、はじめではなかった。知らない男の子だ。

「ごめん、人違いだ」

私があやまると、男の子は首をかしげた。

「ひょっとして、はじめって、バスで死んじゃった帽子をかぶった女の人? その人の知り合いなの?」

私と木園は顔を見合わせた。なぜこの子が、はじめのことを知っているのだろう?

詳しい話を聞くと、その子はあのバスの事故で、たった一人だけ生き残った少年だった。ちょうど一年前の夜、あのバスの一番後ろの席に座っていたというのだ。

「一番後ろの席……。あの時、はじめが座っていたのも、一番後ろの席だった……」

「うん、最初はだれも座っていないと思ったんだ」

少年はうなずいて、話を続けた。

「でも、事故が起きた瞬間、いつのまに座っていたのか知らないけど、横にいた女の人がぼくをだきしめて、それでぼくは大けがをせずに助かったんだ。本当に、死なかったのは奇跡なんだって。その人は紫色の帽子をかぶっていて、ぼくもそれから、同じ色の帽子をかぶることにしたんだ。あの時お姉ちゃん、ぼくをギュッとだきしめてくれたんだよ。甘いガムの匂いがしたんだ。でも、そのお姉ちゃんは死んじゃったんだよね。お母さんがその人の家族にお礼をしたいって言ったんだけど……、おかしいんだ、バスで死んだ人は全員男なんだって」

私らはまた喫茶店に入った。

頭の中で少年の話を、何度も反芻《はんすう》した。

かなしいことにかわりはないんだ。でも、それまではじめの死は理不尽でいたたまれないものだったのに、話を聞いて、少し楽になった。

「ぼくはいつかスキューバをはじめる」

私は木園に言った。

「そして、あの下水道の奥に流された、昔のおもちゃをひろい集めるんだ。知ってるか？あそこに流された怪獣の塩ビ人形、今ではちょっとすごい値段がついてるんだよ」

「へえ、それじゃあ、また下水道の地図を作らないといけないな。道案内がいないから、奥に行ったら戻れなくなる。また昔のように、歩数をかぞえながら歩くんだ。でも、あの奥にはもっとすごいものがあるかもしれない」

「もっとすごいもの？」

「噂《うわさ》なんだけど、埋蔵金がこの辺に埋まってるんだそうだ。つまりあの下水道は、莫大な埋蔵金を隠すために作られた、そう考えれば、なぜあんなに長いトンネルが地下にあるのか、少しわかる気がしないか？　まあ、噂だ」

「よし、今すぐ探しに行こう」

そこへちょうど、コーヒー二つとパフェが運ばれてきた。

「あ、そうだ。おまえ、おれの写真なんて見たくないって言ってたから見せなかったんだけど、ほら」

木園はポケットから何枚かの写真を出して、私にくれた。はじめが写真にうつっている。きっと知らない人は、写真にうつっているはじめが見えず、風景写真かと思うだろう。私や木園にとってだけ、意味のある写真だ。

写真の最後の一枚には、だれもうつっていなかった。壁が撮影されているだけだ。

「それは、下水道の最下層の壁だ。約一年前、ノビを救出した時のやつだよ」

壁には、『管耕平』『木園淳男』という名前の間に、『はじめ』とマジックで書かれていた。

「ああ、小四のあの時もそばにいたんだなあ、はじめのやつ。この文字も幻覚なんだなあ」

するとノビがパフェから顔を上げた。

「はじめちゃん、ぼくおぼえてるよ」

「ああ、忘れるなよ坊主。でも、はじめの顔は知らないんだろう？　見えないものな」

木園の言葉に、ノビは首をふった。

「ううん、見たよ」

「うそつけ」

「だって暗いところで見たもん。ぼくが水みたいなところに浮いていて、だれもいなくて怖かったけど、はじめちゃんがそばに来たから、泣かなかったんだもん。でもぼくを見て、はじめちゃんのほうが泣きそうだったんだよ」

ノビを救出した時のことだとすぐに気付いた。あの時のはじめが、ノビには見えていたんだ。

「あの時、おれたちもそこにいたんだぜ坊主、おぼえてるだろ？」

そう言った木園に、ノビはしかめっ面《つら》で答えた。

「うそだあ、いなかったよ」

「こいつ、おれたちのことは忘れてやがる」

木園は肩をすくめた。

それにしても、よく八年間もはじめといっしょにすごせたものだ。幻覚なんて、すぐ消えてしまいそうなものなのに。

私らの関係なんて、はじめが私らと遊ばなくなれば、そこでおしまいだったんだ。いつか、はじめは言ったじゃないか、「学校に行けば、私はだれとでも普通にしゃべれるし、バイト先ではきちんと客の応対もできる」と。もしも私が幻覚ならば、幻覚の世界で遊んでいたほうが楽しいように思える。幻覚が現実世界の住人と遊ぶなんて、孤独と疎外感の連続だっただろうに。いくら私らの脳味噌が生み出した人間だからといって、私らと遊ぶ理由はなかったんだ。

そのことを木園に尋ねても、「まあ、いろいろ理由があったんだろう」と言っただけだった。

喫茶店を出る間際《まぎわ》に、私は言った。

「知ってたか、はじめのやつ、おれにほれてたんだぜ」

軽い冗談のつもりだったんだが、木園はけっこうおどろいていた。

「なんだ、知ってたのか」

「え?」

「いや、言おうかどうか迷ってたんだ。はじめには口止めされてたし、彼女が死んで耕平はすごく落ち込んでたし。おれな、ずっと以前、はじめに相談をもちかけられたんだ。耕平が好きなんだがどうすればいいのか、って。おまえ中学の時、家ではじめをかばったことがあったろう、あの後さ。複雑な問題だったんだよ、幻覚が人を好きになるんだからさ。好きになったところでどうなるもんでもないということが、あいつ自身わかっていたんだ。はたから見れば、正常ではないということがね。だからおれは、とにかくきみが幸せになるようにすればいい、とだけ言ったんだ。結局、彼女は、きみに告白はしないという選択をしたんだね。友達として、長い間いっしょにいられる道をとったんだ」

私は急に気付いた。

なぜ八年間もはじめが消えなかったのか。それは、消えたくなかったからなんだ。

B
L
U
E

1

買ったばかりのぬいぐるみの材料を小脇にかかえ、ケリーは雨宿りのつもりでその店へ入った。看板はでていなかったが、店内を見るかぎりどうやら骨董屋のようだ。そうでなかったら、町のがらくたを置いておくための倉庫かなにかだろう。

店の奥に置かれていた骨董品の一部が動いたと思ったら、店主だった。年をとり、老いを極めた東洋系男性だ。

雨音がきこえなくなるまで、ケリーは店主と話をすることにした。この店へ入ったのははじめてだった。完成させて酒瓶《さかびん》とひき換えにするぬいぐるみの材料を買うために、何度もこの町へ足をはこんでいたが、店の存在に今日はじめて気付いたといっていい。もっともここ数年、体から酒の臭いの消えた日はなかったので、不思議はなかった。

雑多な店内を見回しながら、年老いた店主の流暢《りゅうちょう》な英語をきく。ケリーにとって、その声は不思議と心地好い呪文のように感じられた。昨日のアルコールの残りが頭にもやをつくり、店内にひしめく古道具や古美術が時々ゆがんで見えた。てきとうに相槌《あいづち》をうっているうちに、さきほどから笑顔しか見せない店主の目が、自分の小脇にかかえた物へ向けられているのに気付いた。

ケリーは、自分が手作りのぬいぐるみを売って細々と生活していることを話した。彼女がはじめてぬいぐるみを作ったのは、離婚して一人になった時だった。昔、母から学んだ方法で制作して売ってみたのだ。彼女の手先が器用だったことと、その方面への才能があったことで、不思議なくらいぬいぐるみは売れた。

「おかげさまで家賃を滞納することはないの」

笑顔以外の表情を忘れてしまったような店主は、あいかわらず同じ表情のまま、すすすと店の奥へ消えた。まるで足に車輪でもついているような、なめらかな移動だった。

やがて店主は丸められた数枚の生地を持って現れた。様々な色がとりそろえられている。彼は何も言わないが、これらを売り付けるつもりなのだろう。ケリーが生地の表面をさわってみると、見た目よりもなめらかな肌触りでおどろいた。まるでそう、人間の肌のような心地好い感触だ。彼女の指が生地の上を、酔ったようにふらふら往復してははなれたがらなかった。

これはとても不思議な布なのだと店主は説明したが、声は半分しかケリーに届いていなかった。彼女はそれほど興奮して生地をさわり続けた。すでに頭のなかで、この生地で作られたぬいぐるみの完成品がいくつも思い浮かんでいた。どんなすばらしいぬいぐるみになるだろう。

店主の言った値段は少々高かったが、ビールを買うために残しておいたお金をにぎらせ、ケリーはそれらの生地を全部、手に入れた。ひとまとめに丸めてかかえると、生地はまるで人間の赤ん坊のように思えた。

ケリーが雨が上がったのを確認して店をでる時、またきてね、と声がした。いつからそこにいたのか、店内のかたすみに地味な服装の女の子が立っていた。おそらくこの店の子だろう。にこにこしながら手をふっていた。

「わたしリンっていうの、またきてね」

ケリーはアパートの自分の部屋へもどるなり、テーブル上に林立していた酒瓶をどかして工作のできるスペースを作った。前々から考えていた型紙をつかってみるつもりだった。

まずは小指の爪幅ていどの縫《ぬ》い代《しろ》を残し、型紙にあわせて生地を切る。汚さないように注意深く、切り抜いた生地を次々とベッドの上へならべた。

ぬいぐるみ一体分を切り抜いても、骨董屋で手に入れた生地には余裕があった。まだいくつかこの生地でぬいぐるみが作れそうだと思い、ケリーはうれしくなった。

食事と睡眠を忘れ、切り抜いたものを糸でつなぎあわせる。何度も経験のある作業だとはいえ、自分でも驚くほど早いスピードで針をあやつった。

町で買ったプラスチックの目をつける。色はブラウンにした。

しぼんだ風船のような、たった今つなぎあわせた生地を裏返し、綿《わた》を入れる。それ専用の棒をつかって手足の先までしっかりつめこむと、完成だった。

絵本にでてくるような王子様をイメージした高さ三十センチメートルほどのぬいぐるみだ。肌の部分に白い生地をつかい、青い生地で作った豪華な服には刺繡《ししゅう》もしておいた。毛糸のふさふさした茶色の髪の毛に、黄色の王冠がのっていた。

今までケリーは動物のぬいぐるみしか作らなかったので、その王子様ははじめての人間タイプのぬいぐるみだった。しかも案外できは悪くない。それを両手にだいて、微笑《ほほえ》んだ口もとやブラウンの目、白い肌を見ていると、ケリーは変な気分にとらわれた。ずっと持っていたせいか、彼女の体温でぬいぐるみが温かくなっていた。それがまるで王子自身の発する体温のように、一瞬だけ感じられた。そういえば、どこがとは一言で言えないが、妙に人間臭い印象も受けた。おとぎ話からでてきたそのままの顔だというのに。

ふと、目のはしで何かが動いた。いつものねずみだろうと思ったら、違った。ぬいぐるみのパーツを切り抜いたために穴だらけとなった生地の残りが、だれもさわらないのにくるりとそり曲がったのだ。よく見ると、最初四角形だった形も歪《ゆが》んでしわがよっている。

数分間考えた結果、おそらく湿気と温度の変化による収縮だろうとケリーは結論づけた。しかし長い間ぬいぐるみを作ってきた彼女も、このような動きをする生地など見たことがなかった。本当に布切れが湿気や温度が変化しただけでそったり歪んだりするものかわからないが、骨董屋の主人に不良品をつかまされたのだとケリーは確信した。

がっかりしながら歪んだ生地にアイロンをかけると、またもとの平らな形にもどすことができた。いつか室温の変化でまた変形することになるかもしれないが、ひとまずほっとした。

今度は王子がぴくりと動いた。ああ、そのぬいぐるみにつかった生地も同じように湿気や温度の変化のせいで収縮したんだなと、ケリーはその時、特に気にしなかった。

王子に続いて、王女が完成した。もちろん例の生地を用いてていねいに作られた。白い顔と手、ドレス、そして黄色い毛糸の髪の毛が特に目をひいた。二つのぬいぐるみをならべて置くと、まるで童話の挿絵《さしえ》のようだった。

今度は彼らに仕える騎士のぬいぐるみを作ろうとケリーは考えていた。

その時、また勝手に王子の手足が動いた。さきほどから何度も視界のすみでちらちら動くのを確認していたが、ようやくケリーも気味が悪くなってきた。ぬいぐるみのパーツを切り抜きながらいろいろな可能性を考えてみた。おそらく不思議に思うことなど何もないのだろう。さっきも考えたように、ぬいぐるみはいくつかに分けられた生地のパーツからできている。環境の変化のせいでそれらがそれぞれ違った方向へ伸縮するために、手足が曲がったり首がそったりするのだ。

ためしに王子をつかんでぶんぶんふってみた。何も起こらない。耳を近付ける。

「ブブ……」

というかすかな声がした。いや、声ではない、ケリーは頭をふって否定する。よくきくと縫い目から空気のもれる音だった。こんな音は今までできいたこともなかったが、きっとこの生地は、空気が通り抜けるのに抵抗が生じるほど組織が緻密《ちみつ》なのだろう。したがってぬいぐるみの生地が収縮するたびになかの空気が縫い目からもれ、かすかに音がでるのだ。

灰色の生地の鎧《よろい》をまとい、手足を長く設計した騎士のぬいぐるみが完成した頃、とうとう王女も動きだした。そのころになるとケリーはどろどろに疲れ、目がかすんでいた。少し休もうと、完成したばかりのぬいぐるみを他の二体の横にならべ、湿ったベッドにたおれこむ。気絶するようにケリーは眠った。


目が覚めると、三体のぬいぐるみが一斉にケリーの方を向いた。彼女はまだ夢を見ているのだろうと最初のうち考えたが、どうやらそうではないらしい。ぬいぐるみの生地の伸縮がそうさせただけなのだと思いあたり、納得した。

次に白い馬のぬいぐるみを作っていると、王女が手足をばたばたさせて、まるで立ち上がろうとするような動きを見せた。まさかね。苦笑してケリーは無視するが、それでもちらちらと自分でも気付かないうちにその動きを監視していた。

立とうとするそぶりは他のものにも見られた。じたばたもがくが、三体とも立ち上がることはできない。当然だ、特に立とうとする意思があって動いているわけではないのだ、ただ関節部の生地が頻繁に収縮と伸びをくりかえしているだけなのだ、とケリーは決めた。しかしまた一方で、彼らが立てないおそらく正しい理由もわかっていた。彼らの手足は丸みを帯びるように作ったため、立てるようにはできていないのだ。

そこでケリーは白馬が完成すると、実験をしてみた。彼ら自身に意思などないということを確認するため、茶色の生地でしっかり体重を支えられるような靴を作り、それぞれの足にはかせてみた。

三体のぬいぐるみは立ち上がってとことこ歩いた。そこでようやくケリーは、これが生地の伸縮のせいなどではなく、アルコールの見せる幻覚なのだと気付いた。それならば問題ない。彼女は安心し、四体のぬいぐるみを眺めた。白馬は四本足なので、靴なしでもやがて歩けるようになるだろう。

ぬいぐるみたちは、部屋に転がった酒瓶や綿を入れた袋を珍しそうに眺めたり、さわったり、物陰に隠れたりしていた。たまにケリーの方を向いて、何かを問い掛けるように見上げた。

ケリーにはきこえなかったが、彼らはどうも人間にはききとれないような声で会話しているようだった。もしかすると縫い目からもれる空気の音をあやつり、彼らにだけ理解できる言語として利用しているのかもしれない。彼女は自分の子供っぽい思考にあきれた。もし万が一これが幻覚でないとすると、いったいなんだというのだ。エネルギーはなんだ？　湿気や温度などという環境条件の変化を食べて生きているとでもいうのか？　視覚はどうなのだ？　聴覚、嗅覚は？

幻覚について想像していてもしかたない。ケリーは、余った生地をどうしようかという問題に考えの矛先《ほこさき》を向けた。四体のぬいぐるみを完成させると、残りの生地は少なくなった。残りをかき集めてみても、もう売れそうなぬいぐるみは作れまい。しかし、骨董屋にだまされて買ったとはいえ、肌触りのよさは確かなのだ。ケリーはもったいなさのため、残りの材料をかき集めてもう一体作ることにした。

型紙がない。まあいいだろう、自分には経験がある。ケリーはおおまかな見当だけで青い生地を切り抜いた。白色や肌色の生地はまったく残っておらず、青い生地でぬいぐるみの基本的な部分を構成する必要があった。プラスチックの目も残っていない。しかたないので、黒の油性マジックで目と口を描く。髪の毛につかう綺麗な毛糸もすでにない。ごみ箱の奥から、以前、失敗して捨てたぼさぼさの黒い毛糸をさがしあてた。

いつの間にかケリーのまわりに四体のぬいぐるみが集まっていた。手元を興味深そうに眺めている。あっちへ行けと手をふると、その仕草におどろいたのか、さっと散らばった。

余った生地からできあがったぬいぐるみは、ひどい外見をしていた。女の子のようだったが、明るい青色の肌に、黒っぽい青色の服だ。生地の足りなかったところは、なかの綿がでてこないように、別の色の生地でつぎはぎをした。手足の長さもばらばらだ。靴を作る生地すら残っていなかったので、足の先を切り取って平らにし、ふたたびふさいだだけだった。

ケリーはそのぬいぐるみの外見を特に気にしなかった。むしろ何と呼ぶかで迷った。『王子』『王女』『騎士』『白馬』ときたので、一瞬、『奴隷』という言葉が浮かんだ。そのネーミングはなんとなくぬいぐるみのみすぼらしさにぴったりなのだが、倫理観がストップをかけた。

ふと、ケリーは鏡のなかの自分を見た。目の下にくまができ、髪はぼさぼさでやつれていた。青い顔で、たった今完成したぬいぐるみとあまり変わらない。

「そうだ、気分が悪そうな青い顔だから、『ブルー』と呼びましょう」

ブルー、ブルー、と何度もつぶやいていると、床の上に横たえられていた青色のぬいぐるみがぴくんと動きはじめた。

2

ダン・カーロス氏はしばらく迷ったあげく、結局その店へ入ることにした。看板は見あたらないが、骨董屋に違いなかった。とびらを閉めると、さきほどとつぜんに降りだした雨の音は小さくなった。ぬれたスーツを気にしながら、店内にひしめく壺や像に顔を近付けて眺める。商品はほこりをかぶっておらず、丹念に掃除されていた。

ダンが店の壁一面に飾られた刀剣のたぐいに注意をひきつけられていると、後ろから声をかけられた。いつからそこにいたのか、店の主人が腕組みをして立っていた。時間を忘れて見とれてしまうような東洋系の美しい女性だ。彼女はリンと名乗った。

「はじめてここへきましたが、この店の前をいつも素通りしていたことが悔やまれますよ」

「みんなそう言うの」

しばらくの間、店のカウンターによりかかってさほど意味のない会話をし、ダンはもうすぐ十歳になる娘のバースデープレゼントをさがしていると彼女に伝えた。

「あら、何がいいかしら。家中にふんをして父親を困らせるような動物なんてどうです?」

リンの軽やかな声をききながら心地好い気分で店内を見回し、ダンはある映画を思いだした。中国人の経営するあやしげな骨董屋から、父親がねずみのような生き物を買ってくるという筋の映画だった。たしかその生き物は、水を浴びせると増え、夜中の十二時をすぎてから食事を与えると凶暴になり、日光にあてると死んでしまうという設定だった。そのことを彼女に言ってみた。

「その映画にでてきた骨董屋はうちがモデルなの。あの映画を撮った監督さん、うちの常連でよくくるのよ。おじいちゃんが彼にいろんなものを売り付けていたわ。水で増えるねずみもうちの店から買っていったものなの。もう全部、死んじゃって残っていないけど」

「そりゃ残念だ」

ダンは彼女の話を冗談だと受け取ったが、リンは深刻な顔でうなずいた。

「檻《おり》に入れておいたあのねずみを、がんがんに冷房をきかせた部屋からだしたのがいけなかったの。部屋からだしたとたん、ねずみの表面に細かな水滴ができてしまって……、思いだしただけでいやになっちゃう。ほら、冷たいジュースを入れたコップの表面に水滴ができるでしょう？　あの現象がねずみにも起こったの。檻のなかでねずみが増え続けて、あっというまに全部圧死してしまったわ。頑丈な檻へ入れておいたばっかりに……」

リンは一息ついて、あらためてダンに質問した。

「で、娘さんにはどのようなものをお買いになるつもり？」

娘のぬいぐるみ収集の趣味をダンが話すと、リンは指を鳴らした。

「ちょうどいいぬいぐるみがあるわ」

「まさか軍の開発したコンピューターチップが内蔵されていて、勝手に動きだして人間を攻撃するような人形じゃないでしょうね」

「それは最近、売り切れましたの」

「動きだすぬいぐるみなんて絶対にいやですからね。もしそんな機能がついていたら、返品しますよ」

ダンは冗談のつもりで言ったのだが、彼女は口に手をあてて考えこみ、取《と》り繕《つくろ》うようにほほ笑んで店の奥へ消えた。

一分後、美人の店主がカウンターにならべたのは、五体のぬいぐるみだった。そのうち四体はなかなかかわいらしく、ていねいに作られていた。これなら娘も喜ぶだろう。さわってみる。肌触りのよさに、指先に電流が流れるようなショックを受けた。

「なかなかよくできていますね」

「けっこう有名なぬいぐるみ作家の作品です」

ぬいぐるみ作家という言葉をダンははじめてきいた。どうやら自家製のぬいぐるみを売って生活する人のことらしい。

「これらのぬいぐるみはケリーさんというその道で有名な方の遺作なの。彼女の作品はよく雑誌でとりあげられて、今でも高値で取引されていますわ。本人はピストル自殺しましたが」

ほお、とうなずくことしかダンにはできない。どんなに高額であろうと目の前のぬいぐるみを買わないわけにはいかないという不思議な気分にとらわれ、気付くと財布を取りだしていた。

「この四体のぬいぐるみをもらうよ。ぼくはぬいぐるみの素人《しろうと》だが、不思議なことにこれらのよさがわかるような気がする。実にいいぬいぐるみだね」

「あら、四体だけ？　これはいらないの？　仲間外れにするつもり？」

リンがゆびさした五体目のぬいぐるみは、実に奇妙な形をしていた。全体的に歪《ゆが》んでおり、安っぽい。これを作った人間ははたして、他の四体を作った者と同一人物なのだろうか。顔や手足は青く、魔女を思わせるダークブルーの服。かわいらしいとはいえない。とてもじゃないが、正常な神経の持ち主が作ったようには思えなかった。

「これは必要ないな」

「お代はいりません、おまけですから」

無料という言葉に弱いダンは、五体のぬいぐるみをプレゼント用の紙で包んでリボンをかけるよう願いでた。

*

ブルーは他のぬいぐるみたちといっしょに、若い女店主によっていったん店の奥へ連れ戻された。リンは赤い大きな包装紙と黄色いリボンをそろえながら、店内の客にきこえないよう、小さな声をだした。

「みんなよくきいて、これからあんたたちを包んで売りにだすわけだけど、一つ注意することがあるの。ほら、そこの馬、さわがないの！」

さきほどからブルーの横で落ち着きのない馬のぬいぐるみを、リンは両手で無理やりすわらせた。長年の付き合いから、白馬が少しの時間もじっとしていられない性格だということを、ブルーは知っていた。

「あのお客さんはね、あなたたちが動くことをまったく望んでいないの。もし勝手に動くようなぬいぐるみなら、返品するのだそうよ。返品なんていやでしょう？　だったらお客さんの家では絶対に動いてはだめよ。普通のぬいぐるみらしくふるまうの。おわかりになって？」

ブルーは真剣にうなずいて、彼女の言ったことを忘れないでおこうと、しっかり頭に刻み付けた。しかし心のなかははずんで、それどころではなかった。これからどんな家へ連れて行かれるのだろう、清潔で素敵な家ならいいとあれこれ想像していた。どんな子供にプレゼントされるのだろう、包みを開けた時、どんな顔をするだろうか。プレゼントを開けた時の子供が浮かべる満面の笑みを思い描いて、心は早くもちゃかちゃかと踊りだしていた。

「戻ってくるなよ、きみたち」

五体ひとまとめにして、リンの大きな手がぬいぐるみたちをプレゼント用の包装紙で包んだ。まわりが見えなくなる瞬間、ブルーはできるだけ大きな声をだした。

「さよならリン！」

自分たちの声が人間にはきこえないのだということは知っていたが、言わずにはいられなかった。

リボンがかけられているのを包みのなかで感じながら、彼女はまわりのみんなを見た。包みのなかは暗かったが、彼らにとって光の有無はさほど関係がなかった。

「やれやれ、やっと買い手が現れたよ。ブルーまでひき取るなんて酔狂な人だね」

あいかわらず白馬はそわそわしていた。彼はよくブルーがみんなと違うことを笑ったが、きらいじゃない。数年間をいっしょに暮らしてきた大切な仲間だと感じる。

落ち着きのない白馬。

プライドの高い王子。

やさしい王女。

無口な騎士。

ばらばらに買いたたかれずにすんで、ほっとしていた。とにかく、みんないっしょなのはとてもいいことだ。

包みが持ち上げられ、リンの手から客の手へ渡されるのがわかった。子供に喜んでもらえるといい。ブルーは期待で胸の縫い目がはりさけそうだった。

3

ぬいぐるみを買ったカーロス家は四人家族だった。セールスマンのダンと、その妻。まだ言葉をしゃべれない男の子のテッド。そして十歳の誕生日をむかえたウェンディ。包みの中でじっと家族の会話をききながら、それらの予備知識を得た。

プレゼントを開けたウェンディのこぼれるような笑顔を見て、ブルーは彼女を一目で好きになった。

女の子は五体のぬいぐるみをバースデーケーキののったテーブル上にならべ、父親の頬《ほお》にキスをして喜んだ。

「ありがとうパパ！」

父親は、彼女を持ち上げて一年前より重くなった娘を確認した。ブルーの油性マジックの目には一部始終が幸せに包まれた家族風景としてうつった。リンの骨董屋で時々見せてもらったテレビドラマのような家庭は、ずっとあこがれていたものでもあった。

天使のような少女の笑顔に見とれていると、小さな男の子がケーキでべとべとの手でテーブルの王子をつかもうとした。ウェンディの弟、テッドだった。ぬいぐるみにとって汚い手でさわられることは本能的な恐怖だったので、ブルーは緊張した。

「だめよテッド！　さわっちゃだめなの！」

テッドは姉によって突き飛ばされ、転んでしまった。しかし泣きだそうとはせず、じっとぬいぐるみと姉の顔を交互に見て、逃げるように部屋からでて行った。その時の彼の、少し暗いまなざしがブルーは気になった。

「あたしあの子きらい！　この前もあたしの本をぐちゃぐちゃにしたのよ！」

父親はウェンディをなだめるのに必死だった。少女の話をきいているうちに、ブルーはテッドのことをいくつか知った。どうやら彼は乱暴者で、ウェンディの大切なものをこわしたり汚したりすることが趣味であるらしい。彼が部屋からでて行っても、他の家族は気にしていない様子だった。もしかするとこういうことはカーロス家でひんぱんにあることなのかもしれない。

そのうちに、ジェニファーと呼ばれていたウェンディの母親が料理をはこんできた。プレゼントが汚れるといけないからと、彼女はぬいぐるみたちを二階の子供部屋へ持って行くよう娘に言った。

子供部屋はすでにたくさんのぬいぐるみで満員だった。クマやイヌなど、大きさもばらばらな動物たちが、棚やベッドの上にすわっていた。ウェンディがぬいぐるみ好きなのだということを知り、ブルーの中でますます彼女の好感度が上がった。

ウェンディはにこにこした顔のままで、一つずつゆっくり味わうように、父からもらったばかりのぬいぐるみを順番に机へならべた。最初は王子、次に王女、騎士、白馬をすわらせて、女の子はうっとりと眺めた。次は自分の番だと思っていたブルーはなぜか机の上でなく、部屋のかたすみにすわらされた。それが不思議だったが、特に意味を考えなかった。

部屋の電気を消して女の子がでて行くと、ブルーは立ち上がり、他のみんなが乗っている机のそばまで歩いた。ブルーは左右の足の長さが違う上に、靴をはいているわけではないので、いつも歩き方がおかしかった。足をひっかけられるとまちがいなく転ぶので、よく白馬につまずかされてからかわれたが、自分と他との違いに疑問を持ったことは一度もなかった。

見上げると机の上で四体のぬいぐるみが楽しそうに会話しているのがわかった。どうやら話題は、一戸建てでよく掃除されているこの家のことのようだった。ブルーは仲間に入りたかったが、三十センチメートルの身長ではかんたんに上へのぼれそうにない。あきらめて下から声をはりあげた。

「ねえ、なんでわたしだけ机にならべられなかったの?」

四体の会話がぴたりと止《や》む。

「さあて、なんでだろうね」

笑いをかみしめるような白馬の声が上からふってくる。なぜ彼が笑っているのか、ブルーはわからなかった。

「わたしもそっちへ行きたいよ!」

「絶対だめだよ、ウェンディが帰ってきた時おまえがここにいたら、ぼくたちが動けるということがばれちゃうだろう?」

王子はそう言うと、ここにブルーなどいないという感じで会話を再開した。

「さっきは危ないところだったよ。テッドって男の子がいただろう? あんな手でさわられていたら絶対汚れが落ちないぜ。ぼくは絶対汚れるのはいやだね。あいつにぼくの白い肌を絶対さわらせないんだ。絶対だよ」

「ええ、食べ物の汚れには注意した方がいいわね」

王女が同意してうなずくと、彼女の黄色い毛糸の髪がゆれた。

急にブルーはさびしくなった。騎士に目をやると、彼は目をそらした。

ウェンディがこないうちにもとの場所へもどろうと、またおかしな歩き方で部屋のかたすみへ歩いてかえった。ひょっとしたらあの女の子は、とても急いでいたのかもしれない。おそらく自分を机の上にすわらせる時間すらなかったのだ、きっと寝る前にじっくり眺めてくれるのだろう。

ところがウェンディは、部屋へもどるなりベッドへ横になってしまった。もちろん、父親からプレゼントされたぬいぐるみたちを枕元へ置いて、顔をうずめるようにして眠った。そこへ呼ばれなかったブルーは、ベッドの王子たちがひどくうらやましかった。きっと明日になれば自分をつかって遊んでくれるのだろう、明日の夜は自分もベッドで寝させてもらえるのだろう。部屋のかたすみに放置されたまま信じて疑わなかった。

しかし何日たっても、ブルーがだれかに遊んでもらえることはなかった。

王子たちはすぐにウェンディのお気に入りとなった。彼女は毎日、学校からかえってくると近所に住んでいる友達のリサといっしょにぬいぐるみで遊んだ。

　また、ウェンディはブルーを除く他の四体にそれぞれ特別の新しい名前を考えた。リサは特に、騎士のために厚紙製の剣をつくった。それは表面にアルミホイルが巻かれてあり、刃の部分が銀色に光った。ゴムでぬいぐるみの手に装着できるよう細工がされていた。彼女は、騎士のくせに剣を持っていないのはおかしいと主張しながら、ぬいぐるみにそれを取り付けた。手先が器用な女の子だった。

　リサの作った剣は騎士によく似合った。ある夜、ブルーは彼にそのことを話した。かえってきた答えはそっけないものだった。

「こんな剣、じゃまになるだけだよ」

「大切にしなきゃだめだよ。わたしなんか、名前ももらってないんだよ」

　ブルーは他のぬいぐるみたちがうらやましかった。みんながウェンディたちからもらっている名前やアクセサリーなどの一つ一つが、気にかけられている証拠のように思えた。自分にはそういったものが何一つ与えられなかった。そのため、騎士はもっと喜べばいいのにと感じた。

　夕食の時間になるまでぬいぐるみをはなさないウェンディとリサを、ブルーは部屋のすみから見ているしかなかった。遊んでいる彼女たちの顔はすばらしく輝いて見え、いつか自分も仲間に加えて遊んでくれることを夢のように想像した。

ぬいぐるみたちは弟のテッドにいたずらをされないよういつも大切にされた。しかしカーロス家の少女が子供部屋の全部のぬいぐるみのなかで一番大切にしていたのは、棚にかざられた大きなクマのぬいぐるみだった。クマは女の子からマックスという名前で呼ばれ、ほとんど毎日、長い黄金の毛にブラシをかけてもらっていた。夜中にこっそりかわされる王子たちの会話をきいたブルーは、マックスが遠くに住んでいる祖母からプレゼントされたものだと知った。どうやら王子たちは、そのクマに強烈な嫉妬心をいだいているようだった。

ある雨の日、ウェンディが学校へ行っている間にそれが起こった。人気《ひとけ》のない子供部屋でブルーたちが自由に動いていると、急にとびらが開いてだれかが入ってきた。雨のせいで全身ずぶぬれになったテッドだった。動けることがばれたら返品だとリンに言われていたので、あわてて静止した。ぬいぐるみなので冷や汗をかくことはなかったが、もし心臓があれば破裂しそうなほどブルーは緊張した。

泥水の靴跡を床に残しながら、転がったブルーの目の前をテッドが通り過ぎた。彼がたった今まで雨のなか、外で泥遊びをしていたのは疑いようがなかった。何をするつもりだろうかとはらはらしながらブルーが見ている前で、彼の泥だらけの手がクマのマックスをつかみあげた。

予想通り、学校からかえってきたウェンディは汚れたマックスを見て怒った。ひとまず犯人のテッドを何度もたたいて、母のジェニファーにぬいぐるみを洗濯するよう頼みこんだ。彼女は泣いていた。同じぬいぐるみという立場から、ブルーはマックスに同情した。また、自分もそうなった時、だれかに泣かれるくらい大切にされたいとも思った。

その夜、王子と白馬はひどく機嫌がよかった。ウェンディ一番のお気に入りが汚されて、愉快でしかたない様子だった。

「正直言って、ぼくはせいせいしたね。突然テッドが入ってきた時はおどろいたけど、これから毎日ぼくたち以外のぬいぐるみを汚してくれれば絶対いいのにね」

彼の言葉にブルーは反発したかったが、だまっていた。そのうちにテッドのことが頭にのぼってきた。

正直言って、ブルーはテッドのことがあまりわからなかった。このカーロス家に買われてきて、今までたった一度もテッドの笑顔を見たことがなかった。いや、泣いた顔も見たことがない。いくらウェンディにたたかれてもただうらめしげな顔をするだけで決して泣かない。ころころと表情の変化する姉とはだいぶ印象が違った。

少しでもぬいぐるみにふれようとするなら、ウェンディがはり倒すような勢いで怒るため、テッドはたいてい別の部屋で遊んでいた。寝る時は両親のそばで眠っているようで、乱暴者のテッドが子供部屋へ入ることは基本的に禁止されているようだ。その上あの雨の日以来、ますます姉は弟を部屋に入れなくなった。そうやって大切なぬいぐるみたちは汚されないように守られていたのだ。

ふと、食べかけのドーナツを置いて、リサが言った。

「あそこの変なぬいぐるみは何なの?」

それが自分の話題だと気付いて、ブルーはつい飛《と》び跳《は》ねそうになった。

「あれはね、パパからもらったバースデープレゼントのおまけなの。タダだったからもらってきたって」

「じゃあエドワードやメアリーの友達?」

ウェンディは王子をエドワード、王女をメアリーという名前で呼んでかわいがっていた。

「違うよ。あんなぬいぐるみいらない」

「それじゃあテッドにあげれば？」

リサの提案にウェンディはびっくりした様子だった。

「まったくその通りね！」

ブルーはウェンディにつかみあげられ、すぐに部屋からだされた。

「はい、これあげる。だからもう絶対にあたしのぬいぐるみにさわらないでね」

クレヨンで遊んでいたテッドは、姉の差しだした人形をひったくるようにして受け取った。最初のうちブルーはこの状況を正しく理解できず、これは一時的なことだと信じた。きっとウェンディは、おもちゃを持っていないテッドを見兼ねて自分を貸したのだろう。彼は買ってもらったものをすぐに壊してだめにしてしまうため、ほとんどおもちゃを持っていなかったのだ。おそらく数日たてばウェンディが自分を迎えにきてくれるのだと、クレヨンで汚れた少年の手のなかで信じた。

しかし何日たってもウェンディが迎えにくることはなく、ブルーは日増しに汚れていった。彼は姉にもらったぬいぐるみを大切にしようという心遣いはみじんも見せず、思い切り乱暴にあつかった。

縫い目が破けそうなくらい両腕をひっぱられた時、本当に破れるかと思った。クレヨンで体に落書きをされた時など、それを見たジェニファーは、

「あら、じょうずよ」

と言って怒る気配を見せなかった。なぜかカーロス家の人々は、ブルーが汚れても気にとめなかった。それが不思議でならず、疑問に思うことの第一候補だった。もし自分がテッドによって壊されることになっても、だれもなんとも思わないのではないかという不安を感じたが、そんな恐ろしい考えはすぐに追い払った。プレゼントが壊されるのを平静に見ていられる人間なんてきっといないはずだ。

毎日がブルーにとって地獄のような日々となった。テッドに力一杯ふりまわされたり、よだれでべとべとにされても逃げることはできなかった。泥や食べ物の汚れをジェニファーが洗ってくれることはなく、夜中にこっそり洗い場に行って自分を洗濯した。しかしほとんどのしみは落ちずに残り、みじめな気分になった。

まだ小さなテッドはぬいぐるみを持ち歩く時、片手で半分ひきずるようにして歩いた。そのために外へ連れだされると、ブルーの足はずるずると地面をこすった。このままではいつか自分の足の生地は破けてしまい、なかから綿《わた》が飛び出してしまうのではと怖くなっ

た。ぬいぐるみなので痛みは感じないが、自分の体を構成する生地が破けたり、綿が飛びだしたりする場面を想像すると、ふるえてしまって少しも動けなくなった。

その上、偶然に恐ろしいものを見てしまった。テッドが今までに壊した人形やおもちゃの残骸である。これまでにもぎとった数々の人形の手足や首が山のように、物置に保管されていたのだ。ダンが物置からモップを取りだそうとした時、ブルーはそれらを目にしてしまった。プラスチックでできた恐竜やディズニーのキャラクターの首に、テッドの歯形がくっきりと残っていた。

なんてことだろう！　これまでどんな人形やおもちゃも、この子の乱暴に耐えることはできなかったのだ！　ブルーは愕然《がくぜん》となり、じわじわと恐怖がこみ上げてきた。いつか自分も壊れたら、あの箱にぽんと投げ捨てられてそれでおしまいになるのだろうか？

数日後、ブルーの足の生地は地面との摩擦に耐えきれず、ついにすり切れて小さな穴を開けてしまった。その頃になると汚れていないところなど全身いくらさがしても見つからず、ところどころ縫い目の糸が危なくなっていた。このままではいつかテッドによってばらばらにされるのは時間の問題だった。

夜になってカーロス家の人々が寝静まると、ブルーは子供部屋へ行った。ジェニファーが娘の寝顔を確認した後はたいていとびらにすきまができているので、部屋のみんなに会うことができた。しかし王子と白馬はブルーが子供部屋へくることをこころよく思っていないようだったため、いつも入り口付近からなかを眺めるだけにした。

最初のうちブルーは、足にできた穴がなんとなくはずかしいことのように思えて、隠すようにふるまった。日増しに汚れてゆく自分と違い、王子たちはずっと美しい完璧なぬいぐるみだったからだ。しかしある時、走り回っていた白馬がブルーにできた穴を発見しておもしろがった。穴からなかの綿が見えたからだ。その上、穴から見えるブルーの中身は、完璧な白色ではなかった。連日の汚れがしみこんで、かすかに黄色くなっていた。

「ブルーは中身まで汚れてる！　ぼくの『はら綿』は絶対に白なんだ、自分で見たことはないけど、絶対に綺麗な白色なんだ！」

王子はそう言って、白馬といっしょに「穴あき、穴あき」とからかって喜んだ。

「なあ、やめないか」

騎士がめずらしく言葉をはさむことで、ようやく二人は静かになった。

「ねえ、ウェンディはいつごろわたしを迎えにきてくれるのかしら？　もうテッドといっしょにいるのはつらいよ」

「ブルーごめんね、きっと迎えにきてはくれないわ」

王女が答える。

「えー！　どうして？」

「だっておれらとブルーって違うじゃん！」

白馬が愉快そうに笑った。それでもブルーは望みを捨てることができず、動き回る王子たちに気付かないでやすらかに寝息をたてるベッドの天使を見上げた。


翌日、テッドがお昼寝をしている横で、ブルーは夫婦の会話をきいた。

「ダン、あなたがもらってきたこの変なぬいぐるみのおかげで、わたし助かってる」

ジェニファーがブルーをゆびさした。

「最近テッドがおもちゃにしているようだね」

「ええ、これならどうせタダなんだし、壊れてもかまわないわ。この子が壁に落書きすることも減ったし。ものを壊さなくなったのはエネルギーを全部このぬいぐるみにぶつけているからよ。すぐに壊すから、この子におもちゃを買い与えるのは大きな浪費なのよね。だからちょうどよかった」

そこへウェンディが現れた。

「ウェンディ、このぬいぐるみはテッドにあげてしまっていいのかい?」

「そうよパパ、あたしそんなかわいくないぬいぐるみもう見たくないよ」

ようやくブルーは、王子たちの言ったことがいくらか正しいことに気付いた。

お昼寝から覚めたテッドはぬいぐるみをふみつける遊びを発明した。また一本、縫い目の糸が切れた。このままではいけない。テッドに破壊され、うち捨てられた人形たちの山に、ばらばらになった自分が混じっているといういやな想像がなかなか頭からはなれなかった。

4

いったいどうすればウェンディに気に入ってもらえるのだろう。あの天使のような子供に遊んでもらうためには、何をすればいいのだろうか。夜中、ブルーは人気《ひとけ》のないカーロス家の階段にすわって考え続けた。

ぬいぐるみとして生まれたブルーにとって、子供に愛されることは生きる理由そのものだった。子供にだきしめられること以外の生き方など最初から知らなかった。一度でもいい、いつか自分がばらばらにされるのなら、ウェンディが他のぬいぐるみにそうするように、ただあたり前にだきしめてほしかった。

しかしウェンディの気をひく方法を考えることは難問だった。この問題さえ解決できれば、自分も他のみんなと同じように人から愛情をもらい受けることができるはずだったが、いくら悩んでも名案はでなかった。

そこでブルーは、どうすればいいのかを王女にたずねることにした。ぬいぐるみたちのなかでは、彼女がもっとも話しやすかった。王子や白馬のようにブルーのことを面と向かって馬鹿にしないし、騎士よりもずっととっつきやすいから、好きだった。

「困ったわね……」

王女は考え事をする時のくせで、すらりとした毛糸の髪の毛をいじっていた。

「ブルー、あなた、この前、白馬が言っていたことを覚えてる?」

「わたしとみんなが違うってこと?」

「そう。たとえばあなたと王子とでは全然見かけが違うよね」

「どこが?」

部屋の反対側で遊んでいる王子を観察しながら、ブルーは首をかしげた。

「肌の色が違うでしょう？　王子の肌は真っ白だけど、あなたは青色でしょう？　あなたも真っ白な肌なら、みんなに好かれるはずだったのよ」

「そうか！　みんなと同じならいいんだ！　わたしの体、みんなといろいろなところが違っていたからウェンディが遊んでくれなかったんだね！」

ブルーは彼女に礼を言ってさっそく部屋をでた。問題は解決だ、青い肌がだめなら、みんなのように真っ白にしてしまえばいい。

小麦粉の袋はキッチンの一番右の棚にあった。ぬいぐるみの手は丸みをおびて作られ、細かな作業をおこなうには不向きだったが、懸命になって小麦粉の袋を開けた。三十分後、粉で全身を真っ白にしたぬいぐるみがそこに立っていた。

ブルーはわくわくしていた。王子と同じように真っ白の肌になったからには、きっとウェンディに遊んでもらえるはずだった。彼女の眠っている子供部屋の前で朝をむかえることにした。一番最初はウェンディに見てもらいたかったからだ。子供部屋は二階なので、全身に小麦粉をくっつけたまま一段一段、崖のような階段をのぼった。

＊

ダン・カーロス氏の心地好い眠りは、妻の悲鳴で幕を閉じた。

「あなた起きて、どろぼうが入ったみたい！」

目をこすりながらジェニファーのいるキッチンへ急ぐ。彼は現場の惨状に目を見はった。キッチンの床は一面、小麦粉がぶちまけられて白くなっていた。

「おどろいた、最近のどろぼうは小麦粉を買うお金にも困っているらしいね」

「ふざけている場合じゃないのよ！　うちにどろぼうが入ったのよ！」

「これがどろぼうのしわざなら、そうとう小麦粉が好物なんだろうな」

「どろぼうじゃないの？」

「何か盗まれたものはあるのかい？」

ジェニファーは財布を調べるためにキッチンをでて行った。ダンはあくびをかみしめ、だれかが開けたままにしている棚を閉めた。ふと彼は、床の小麦粉に点々とついた小動物の足跡のようなものを見つけた。それは階段の方へ続いている。

やっぱりねずみが小麦粉の袋をかじったんだ。足跡を追って階段をのぼると、子供部屋の前に変なものが落ちていた。小麦粉を全身につけた青いぬいぐるみだ。足跡はそこでぴたりと途絶えている。

ダンはそれを手に取った。手足の長さがまちまちで、見るたびに気持ち悪い印象しか浮かばなかったあのぬいぐるみだ。なぜこんなものが小麦粉まみれになっているんだ？　これは昨夜、テッドのそばにあったはずではなかったか？　さきほどの足跡を思いだし、ダンの頭にある想像が浮かんだが、苦笑して首をふる。まさか、このぬいぐるみが歩いたとでもいうのだろうか？

「あなた、何もとられてなかったみたい」

ジェニファーの声が階下からきこえる。一連のさわぎで目が覚めたのか、子供部屋のとびらが開き、ウェンディが現れた。

「おはようパパ。それなあに？　まあ！　テッドにあげたぬいぐるみじゃない！　あの子ったらまたそんなに汚して！　でもあたしのじゃないからどうでもいいけど」

＊

小麦粉を体につける作戦が失敗してもブルーは気にしなかった。肌を白くすること以外に、自分をみんなと同じように見せる方法はいくらでもありそうに思えたからだ。とにかく王子たちと同じような姿になれば人に気に入ってもらえるのだ。

夜、テッドの寝息が本物であることを確かめてブルーは動きだした。彼を目覚めさせるとやっかいなことになるので、動く時はいつも命がけだった。彼は寝る前、ぬいぐるみの首をしめることに夢中になっていたから、ベッドに入ってもブルーはなかなか解放されなかった。

キッチンで接着剤をさがしていると後ろから声をかけられた。騎士があきれた顔で立っていた。彼がどうしてキッチンにいるのかすぐに理解できた。今日の昼間、リサの作った彼の剣が行方不明になっていたので、それを探しているのだろう。ウェンディたちはしばしば、おもちゃを片付けないままどこかへ遊びに行ってしまうので、こういった行方不明事件が頻繁に起こる。それらを探してあげるのもささやかな仕事だった。

「どう?　剣は見つかったの?」

ブルーの質問に、騎士は興味なさそうに答えた。

「別に、あんなもの必要ないからな。邪魔なだけだぜ」

「そんなこと言ったらだめだよ。せっかくリサが作ってくれたものじゃない」

彼はブルーの手元を見ていた。

「今度は何をするつもりだ?」

さきほどあつめた黄色いひものたばを彼に見せた。掃除用モップの毛先を、ぬいぐるみにしてみれば巨大なはさみをつかって切りあつめたものだった。

「これを接着剤で頭にくっつけるんだよ。そうすれば王女みたいな黄色い髪になれると思うんだ。わたしの髪、黒くてぼさぼさじゃない? 黄色い髪になればきっとウェンディも気に入ると思うんだよ」

騎士は長い手を腕組みしてブルーを見た。彼の手足は他のぬいぐるみより長く設計されていたので、背が高かった。

「残念だがブルー、そんなものを頭につけても無駄だな。あきらめたほうがいい」

「でも、王女が言ったよ。わたしも白い肌ならウェンディに好かれるって。わたし、みんなと同じようになりたいよ」

「あいつはおまえをからかってるんだぜ」

「なんでそんなこと言うの? 王女はいい人だよ!」

ブルーがそう言うと、騎士は残念そうにだまって立ち去った。

翌朝、モップの黄色い毛を頭にはりつけたブルーは、ジェニファーに発見された。もちろんウェンディに気に入られることはなかった。

不愉快に顔をしかめたテッドによって黄色いかつらはむしりとられた。彼はなぜか怒っているようだった。テッドが強く感情を表にだすことは、カーロス家へきて以来ほとんどはじめてといってよかったので、ブルーはおどろいた。なぜ怒っているのだろう、あのモップの髪の毛がそんなにひどい格好だったのだろうか。自分は黄色い髪になってもだめなのだろうか。王女のまねが失敗したことに加え、騎士に言われたことを思いだし、自分もみんなと同じようになれるというブルーの確信はゆらいだ。

それでもブルーは次の日、騎士のように均整のとれた体になってウェンディの気をひこうとした。かつてテッドがばらばらにした人形の残骸が物置に保管されているので、そのなかからよさそうな手足を選んで自分の短い手足に接着剤でくっつけたのだ。ブルーの両手両足はそれぞればらばらの長さだったから、短い手足に人形のものをつけ足してバランスをとったつもりだった。全部同じ長さの手足になれば気に入ってもらえるだろうと思っていた。もちろんだめだった。

その次は白馬のまねだった。ずっと以前、リサが彼をつかって遊びながらこう言っていたのを思いだしたからだ。

「あたし、この馬の目が好きなんだ。だってほかのより大きいもの」

白馬の目は黒い真珠のようなプラスチックの目だった。馬に似せた彼だけは顔の作りがいくぶん小さかったため、目がみんなのよりも大きく見えた。

一方、ブルーの目は油性マジックで描かれた、ただの点だった。今まではみんなと違うことに何の疑問も感じなかったが、急に自分の目が恥ずかしくなった。だから夜中にビー玉をさがしだして接着剤で顔につけてみた。大きくて綺麗なビー玉なら、きっとみんな好きになってくれると思っていた。そうはならなかった。

人形の手足をくっつけた時も、ビー玉をくっつけた時も、テッドがすぐに取り去ってしまったし、みんな気味悪く思うだけだった。特にジェニファーがもっとも敏感に反応していた。朝早く起きて、だれかのいたずらとしか思えない状態のブルーを発見したのは、小麦粉の時を除いていつもジェニファーだったからだ。

毎日おかしな格好で発見されるぬいぐるみにダンが興味を持った。しかしブルーを調べようとすると、かならずテッドが家中を逃げ回ってそれを拒否した。

ある日の午後、テッドにひきずられ、ブルーは近くの公園へ連れて行かれた。公園は同じような家が建ちならぶ住宅街の真んなかにあった。カーロス家のすぐそばだったのでテッドが一人で公園へ行っても、ジェニファーはあまり気にしなかった。ブルーは毎日そこへ連れて行かれ、花壇に埋められた。テッドは犬のように穴を掘って何かを埋める遊びをよくやった。

そのころになるとブルーは、本当にテッドが怖かった。彼は姉のようにくるくる表情を変えない。むっつりだまったまま人の顔を見た。たいていの人間は彼が何を考えているのか表面からではわからないようだった。また、物をあつかう時の力の加減というものを知らなかったので、つかんだ物の多くを壊した。そのためにジェニファーはほとんどの場合、息子が何かを手にしようとする前に取り上げた。そうしなかったのは、最初から壊れてもかまわないような、おまけとしてもらってきた変なぬいぐるみぐらいだった。

ブルーはテッドのなすがままに公園でふりまわされていると、ふいに首をしめていた彼の小さな手がゆるんで地面にずり落ちてしまった。とつぜん凍ったように動かなくなった彼を不思議そうに見上げたが、すぐに理由がわかった。ブルーやテッドにとっては巨大な怪物のように見える黒い犬が、こちらを向いて公園の入り口に立っていた。

赤い首輪に太い鎖がつながっていたが、それを持って制御するはずの人間は見えない。犬がこちらにむかって歩くたびに、鎖がひきずられてジャラジャラと不気味な音をたてた。機嫌が悪いらしく、犬はテッドを見てグルグルとうなって牙をちらつかせた。

テッドがぬいぐるみを残してジャングルジムの方へ逃げると、犬はぱっと地面を蹴って彼を追いかけた。地面にたおれたブルーのすぐそばを犬の鎖がジャッと通り過ぎ、全身の生地がかたくこわばった。

間一髪テッドはジャングルジムの上へ逃げた。しかし犬はうなりながら彼をにらみ、じっとしてそこから動こうとしなかった。彼が下りてくるのを待っているのだと、ブルーは気付いた。

ブルーはどうすればいいのかわからなかった。だれか助けを呼びに行かなければテッドがかわいそうだ。でも、ぬいぐるみの自分が動けるということをだれかに知られてはいけない。地面にたおれていること以外の行動はゆるされないのだ。

マジックで描かれたブルーの目に、ジャングルジムの上で釘付けにされたテッドの姿がよく見えた。あいかわらず表情の変化は少なかったが、ジャングルジムの一端をにぎった小さな手が、強く力をこめられて真っ白になっているのがわかった。

ブルーのなかに不思議な感情がわいた。さっきまで恐れていたはずのテッドを、急に守りたくてしかたがなくなった。自分でも半ば無意識《なか》のうちに立ち上がり、よだれをたらして彼を狙っている犬の鼻先にパンチを食らわせていた。もちろん、ほとんど綿《わた》で構成されたぬいぐるみのパンチに威力があるはずもなかった。しかし不意をつかれた犬はおどろいて後退《あとずさ》りした。次の瞬間、獲物を変更した犬の牙が体に食いこんでも、ブルーは満足だった。自分の方に犬の注意をひきつけている間に、テッドは反対側からジャングルジムを下りて逃げて行ったからだ。


飼い主が公園へきて、犬をひっぱってかえって行ったのは数分後のことだった。地面にうち捨てられたブルーの胸には、犬の牙によって大きな穴があき、なかの綿があふれでようとしていた。足にあいた小さな穴と違い、それは重傷だった。

ブルーはひどくつかれ、このまま自分は朽《く》ちてゆくのだろうと考えた。テッドも去って行ったし、自分のように汚れたぬいぐるみをわざわざ拾う人がいるとは思えなかった。ぼんやりする頭のなかで、なぜかケリーのことが浮かんだ。

ケリーはブルーたちを作った人間であり、教師でもあった。彼女から文字の読み方を習い、一般的な常識を教わった。リンの骨董屋へ売られるまで、みんなで楽しく暮らしていた。あの頃は何も悩むことがなかった。ブルーと他のぬいぐるみたちの間には何の違いもなく、みんなでいっしょに遊んだ。それなのに、どうして今は自分だけ特別なのだろう。ケリーに会いたくなった。またあの頃のようにみんなでモノポリーをして遊べたらどんなに楽しいだろうかと考えた。泣きたかったが、ぬいぐるみに涙腺はなかった。

地面に転がって見上げていた赤い空を、テッドの影がさえぎった。彼の手はぬいぐるみをすくい上げ、穴からあふれでようとしていた綿を押しこみ、指でそこを閉じた。彼がもどってきたことが、意外なことに思えた。

家へもどったテッドはおもちゃのバッジのピンで、犬に傷つけられたぬいぐるみの穴を縫いとめた。かんたんな処置だったが、中身がこぼれ落ちるのを防ぐ効果はじゅうぶんにあった。また、彼にこのような知恵があることも意外だった。王子たちの話では、彼はいつも悪者で無知だということになっていたからだ。

動いたところを目撃したはずなのに、テッドはそのことについて何も示さなかった。結果的にこの子は何も見なかったのではないかとさえ思えた。彼に感謝しながら、ブルーは胸の穴をとじているバッジを何度も眺めた。お菓子のおまけについてくるような錆《さび》の浮かんだそのバッジは、いっぺんで宝物になった。テッドが自分にくれた特別なバッジだ。見るたびに、傷だらけの体から不思議と幸福な気分がわき上がってきて、いくら眺めても足りない気分だった。

それ以来、徐々にテッドから乱暴さがなくなっていった。というよりも、今まで知らなかった力の加減がだんだんわかってきたという感じだった。あいかわらず笑ったり泣いたりはせず、ぬいぐるみを持ち歩く時に半分ひきずるようにして歩いたが、今までと微妙に違う小さな手の感触をブルーは感じていた。

テッドは何も言わなかったが、まるで別の人格に接するようにぬいぐるみをあつかうようになった。それは今までの状況とくらべて、奇跡としか思えない変化だった。彼はテレビを見る時、となりにブルーを、ちゃんと画面が見えるようにすわらせた。ウェンディは、

「ぬいぐるみはテレビなんて見ないのよ」

と笑ったが、ブルーはすでに一週間の番組のスケジュールを暗記していた。リンの店でもテレビを見ていたが、テッドといっしょに見る番組は特におもしろかった。

ブルーは満ち足りた安らぎを感じた。最近まで彼の一つ一つの動作が恐ろしかったのに、今ではテッドのよだれまみれの指さえ気にならなくなった。朝から晩まで男の子はべったりとぬいぐるみをはなさなくなり、ブルーはいつもいっしょに行動した。あれほど固執していたウェンディのことも、すでに遠いことのようだった。また、この状況がいつまでも続いたらいいと真剣にねがっていた。

自分がテッドにとって、まったく唯一の所有物であることにブルーは気付いた。彼は今のところ自分以外に何もおもちゃをもっていない上に、友人と呼べる子も近所にはいなかった。ダンやジェニファーはいつも彼を放っておいた。普段、両親の関心は娘の方に多く向けられていた。そのことを考えると、ブルーはこのままずっとテッドのそばにいられたらどんなにいいかと思わずにいられなかった。

その日は日曜日だった。いつものようにブルーは、テッドにひきずられて公園からもどってきた。彼はまるでぬいぐるみを楽しませるかのように、すべり台の上からブルーをすべらせたり、ブランコに乗せたりしてくれた。まわりにいた子供連れの親はそんな彼を不思議そうにゆびさしていたが、ブルーは本当の人間になったように公園を楽しめた。

家でテッドを待っていたのは、顔を真っ赤にして怒っているウェンディだった。彼女は玄関で彼の首根っこをつかむと、抵抗を無視して二階へ連れて行った。まだ小さな弟の力では姉に逆らうことができないようだった。

二階の階段前でウェンディがテッドの鼻先につきつけたのは、オレンジジュースでずぶぬれになったぬいぐるみのマックスだった。

「テッド、これはあんたがやったのね！　信じられない！　本当に、どうしてあんたはいつもこうなのかしら！」

ウェンディは涙をいっぱいにためてヒステリックにわめいた。彼女の言い分をきいているうちに、おおかたの状況がブルーにもつかめた。

彼女が飲みかけのジュースを子供部屋に置いたまま一階に下り、二十分ほどしてもどってくると、クマのマックスがジュースまみれになって床に転がっていたのだそうだ。彼女が部屋にいない間、だれかが侵入してそれをやったと考えられた。これが故意であるなら、同じぬいぐるみのブルーにとって本当に悪意のあるいたずらに思えた。

犯人はテッドしかいないと彼女は断言していた。彼女は子供部屋をあけている間、ダンやジェニファーといっしょにいたからだ。考えられる犯人はテッドだった。しかし、彼がやったのではないことをブルーだけは知っていた。たった今までいっしょに公園で遊んでいたのだから、彼がそれをやれるはずがないのだ。

「あんた、まだ認めないつもり？　あんたがやったってこと、もうあたしにはわかってるんだからね！　なぜやったのかもわかってるの、あんた、わたしのマックスがうらやましかったのね！　でもパパに何も買ってもらえないのはあんたが悪いのよ、あんたがたくさんおもちゃを壊すのがいけないの、だからそんな変なぬいぐるみでしか遊べないのよ！」

ウェンディの強くはらった手にあたり、テッドにだきしめられていたブルーの体が空中を飛んだ。そのまま階段をころころ落ち、一階の階段下へ着地した。ぐうぜんあお向けにたおれたおかげで、ちょうど二階の階段のそばにいる二人が見えた。

ブルーはやきもきした。彼が無実だということをはっきり証明できるのは自分だけなのに、自分は動けないのだ。あんなにテッドが困っているのに、ここで動いてしまったら返品され、彼ともはなればなれになってしまう。

「ウェンディ、二階にいるの？　さあ、マックスをお風呂へ入れる用意ができたわよ、下りてらっしゃい」

一階の浴室からジェニファーが現れた。

「さあ、もういいじゃない。テッドもきっと反省しているわ。それにテッドはまだ小さいのよ、いいことと悪いことの区別がちっともわからない子供なんだから」

ジェニファーが階段の脇から二階を見上げた時、ウェンディがテッドの頰《ほお》を大きなクマのぬいぐるみでぶった。おそらく痛くはなかっただろう、そのかわり、テッドの体はよろめいて階段の一番上の段をふみはずした。そのまま小さな体がすべり落ちる。

一瞬が引き伸ばされ、まるでビデオのスロー再生のように、ブルーの目にうつった。すぐそばでジェニファーの叫び声があがった。

真っ逆様に落ちてくるテッドの体は、頭を一階の床へ打ち付けてしまう悪い体勢だった。人間は頭を強く打ったらいけないのだと、昔ケリーに教えられていたので、ブルーはとっさに動いた。

男の子と床の衝突音がカーロス家に響いて、一、二秒の静寂がおとずれた。

ダンが走ってきた。

「なんだ？　どうしたんだね？」

二階からウェンディのわっと泣きだす声が、テッドの頭と床にはさまれてつぶれているブルーにもきこえてきた。

「テ、テッドが落ちたのよ、階段を……」

一歩も動けずにいたジェニファーが、夫に短く説明した。ダンはすぐさま、階段の下であお向けにたおれたままの息子を調べた。

「大夫丈、どこも怪我をしてないみたいだ。この高さから落ちたのに、まるで奇跡みたいだね。意識もはっきりしている、泣いてもいないじゃないか。運がいいよ、このぬいぐるみが偶然、クッションの役割をしなかったら頭を打っていたところだ」

テッドは何も言わずに立ち上がった。本当に怪我がないのかブルーには心配だったが、彼はちょっとふらふらするだけのようだった。

「どうしたんだいジェニファー、怖かったのかい？ テッドはどこも怪我してないよ」

硬直したままの妻の肩に、ダンが手を置いた。

「違うのよ、わたし見たの！ テッドが落ちる瞬間、その変なぬいぐるみがまるでテッドの頭を受け止めるみたいに、一人で勝手に動いたのよ！」

*

子供部屋の窓から外を見る騎士のプラスチックの瞳に、カーロス家の敷地からゆっくりとでていく車がうつった。車のなかには家の主人であるダンと、これからどこかへ捨てられるブルーが乗っているはずだった。

このような結果になってしまい、騎士は実に残念だった。

クマのマックスをめぐる一連の騒ぎを、子供部屋にいた彼もきいていた。ブルーが動いたのをジェニファーに目撃された時など、全身の生地をぴんとはって音波を敏感にキャッチできる体勢を選んでさえいた。

ぬいぐるみが動いたという妻の証言を、やや拍子抜けするくらい冷静にダンは受け止めた。騎士はその様子に疑問を感じたが、ひょっとしたらうすうす彼は感づいていたのかもしれないと思うようになった。

ブルーに対してダンの下した決断は、返品ではなく、家から遠くはなれたところに捨てることだった。これは運がよかったと思っている。最悪の場合、焼却されるおそれもあったが、ジェニファーがぬいぐるみの呪いを本気で怖がったせいでそれはまぬがれた。

すでにブルーを乗せた車は遠く見えなくなってしまった。騎士は、ここ最近の彼女のことを思いだしていた。以前にくらべて楽しそうだったのに、こうなってしまったことがひどく残念だ。

騎士はブルーのことが嫌いではなかった。容貌はたしかにみんなとは違うが、彼にとってそれはあまり気にならないことだった。ブルーの個性的な造作《ぞうさく》や手抜きは、王子たちにとってしばしば笑いの種になっていた。彼女のいないところでは、王女もいっしょになって笑っていたが、騎士にはどうでもよいことだった。同情心を持ってはいたが、率先して話をしようとは少しも思わなかった。みんなが彼女をばかにしているのなら、自分が仲間外れにならないように話をあわせることは当然のことだ。騎士のなかにあった彼女へのあわれみは、青い色の顔から目をそらすことだけを要求した。

近ごろのやっと幸福になれそうなブルーを見ることは、騎士にとってなんとなく安心できることだった。王子、王女、白馬にとっては逆に気に入らないことのようだったが、彼はすっと胸のつかえがとれた気分を味わっていた。

「ああ、あたし、あの子がいなくなってほっとしたわ」

騎士のとなりに、王女が立っていた。

「あの子を見ていると胸がむかつくのよね、あたしのまねをされた時は本当に寒気《さむけ》がしたくらいよ。まさか、あたしのアドバイスをあんなふうに受け止めるなんて思わなかった。はっきり『あんたには無理よ』って言えばよかったわ」

「あいつだけが遠くへやられて絶対によかったよ。ぼくたちにも絶対にとばっちりがくるって思っていたもの」

王子が「絶対、絶対」と繰り返していると、白馬がふとつぶやいた。

「でも、まさかもうもどってこないだろうね、あいつ。もしもどってきたらどうする?」

「そんなことになったら、いよいよ大騒ぎになるわ。もうこれ以上、ぬいぐるみが動けるということを人間に気付かせてはいけないのよ。もし、もどってきた時のために、何かしておく必要があるかも」

「しかしブルーは、無実の罪の子供を、大怪我から守るために動いたんだぜ。これは褒《ほ》めてやることではないのか?」

騎士は三体のぬいぐるみに言った。彼には、テッドが無実だったということがわかっていた。なぜならあの時、王子たち三体のぬいぐるみがクマのマックスをジュースで汚している横で、騎士は彼らをとめなかったのだから。

「なに言うの、あんなできそこないなんか褒めたら、つけあがるだけだわ」

間違いを正すように王女が言った。

騎士は彼女がきらいだった。ウェンディが一番気に入っていたマックスに嫉妬し、テッドに罪がかぶるように汚そうと計画したのは彼女だった。自分より大切にされていると感じるものを、汚したり捨てたりして、心の中で優位に立とうという性質を王女は持っていた。また、時々騎士を自分の本物の従者であるかのようにあつかおうともした。しかし彼は波風が立たないように、いつもだまって従うことにしていた。

騎士は今までの自分の行動をふりかえった。もう少しブルーにやさしくするべきだったかなと思っていると、昨夜見た彼女の姿がよみがえってきた。

階段にすわって、胸のバッジを満足そうに眺めているブルーが、彼には不思議だった。とても立派には見えないバッジを、なぜそんなに大事にするのか？

それでも彼女はことあるごとに自分の胸へ手をやり、バッジがちゃんとついていることを確認してはほっとしていた。彼には理解できない。以前、リサの作った剣がなくなった時、自分はなんとも思わなかった。ブルーにとってのバッジと、自分にとっての剣では、どうやら重さが違うらしい。

数日前の夜、ブルーはごみ箱に捨ててあった彼の剣を発見し、持って来てくれた。

「はいこれ、きっとジェニファーが間違って捨ててしまったんだね。みつかってよかったじゃない」

騎士はうれしくなかった。ブルーの汚れ具合から、彼女がたかが紙製の剣のために家中を探し回り、最後にはごみ箱の中にまで入ったことが容易にうかがえた。差し出された剣をしばらく受け取れなかった。

「どうしたの？　うれしくて動けないの？　これはせっかくリサが作ってくれたものなんだから、もうなくしちゃだめだよ。だれかに自分のことを思われているって証拠なんだから」

剣をごみ箱に捨てたのも王女の仕業《しわざ》だった。彼は知っていた。でもブルーにはだまっていた。自分は『騎士』の姿をしているが、従う相手を間違っていたんじゃないかと思った。

＊

ダンの運転する車の音がじゅうぶん遠ざかるのを確認して、ブルーはごみ箱から抜けでた。あたりは暗く、時々ライトをつけた車が目の前の道路を通り過ぎる。歩道に沿って電気の消えた店の看板が連《つら》なっていた。

ブルーはごみ箱のわきに腰掛け、自分の今置かれている状況についてなやんだ。テッドとうまくいきかけていたのに、無理やりはなればなれにされたことがひどくこたえた。

しかし捨てられたのが自分一体だけというのは幸いだったようにも思えた。リンに注意されたことを無視して人間の目の前で動いてしまったのだ。王子たちもいっしょに捨てられていたかもしれないという可能性を考えると、これでよかったのだと思う。

ジェニファーの前で動いたことを後悔していなかった。テッドのけがを防いだことは、自分がカーロス家でしたことのただ一つの善いおこないだったのだ。

人目につかないよう注意しながら、泥水の水溜まりをよけて歩いた。リンのいる骨董屋へもどるつもりでバス停をさがした。お金を持っていなかったが、発見されなければ払う必要はなさそうだった。

犬にあけられた大穴のせいで、さらに歩き方がひどくなっていた。バッジで穴をふさいでも、以前にくらべて体の動かし方が微妙に違っていた。また、ぬいぐるみの間でしか通じない声も、穴のあく前よりひどい響きになっていた。

あらためて自分の体を見る。足の生地は擦《す》り切《き》れ、穴があいたり、しみができていたり、これでは捨てられるのも当然だと思えた。ふとテッドのことが頭をよぎる。ジェニファーはまた新しいおもちゃをちゃんとあの子に買ってくれるだろうか。買ってもらえればいいのだがと心配だった。まだ小さなテッド、新しいおもちゃを母親にプレゼントされたらずいぶん喜ぶだろうな。ぼろぼろの体で暗い道を歩きながら、その様子を微笑《ほほえ》ましく想像する。自分のような汚らしいぬいぐるみではなく、新しいものをもらったら、うれしいだろうな。

ブルーはとつぜん呼吸が止まるようなつらさに襲われた。ぬいぐるみなのでもともと呼吸はしていなかったが、そうなった。その胸の苦しさがかなしいという気持ちだということに気付いた。それまでにもかなしいと思うことはあったが、今度のは種類が違った。

このつらさはなんだろう。布と綿で構成された自分の体のどこからくるのだろう。身のよじれそうな心の痛みに感動すらしていた。王子や王女は世界にこういう感情があるということに気付いていているだろうか。

バス停でカーロス家の方向へ行くバスを見つけた時、今感じたかなしい気持ちの原因が胸のバッジであることを悟った。

5

朝食の後だった。

会社にライターを忘れてきたダンはタバコに火をつけるため、マッチのある場所をジェニファーにたずねた。彼女はくまのできた顔をキッチンのテーブルにつっぷしたまま、ダンが二度名前を呼ぶまで反応しなかった。三日前に息子が階段をふみはずすという事件が起きて以来、彼女は毎晩あのぬいぐるみにおそわれる悪夢を見るようになっていた。

「なあ、きみの言ったところをさがしたけど、マッチなんかないぜ」

「そんなはずないわ、よくさがしてみてよ。本当にあるったら。またわたしがうそをついてると思っているのね。あのぬいぐるみの話だって、あなた信じていないふうだったわ」

ジェニファーはもう一度あの時に見たことを説明しはじめた。ぬいぐるみが生きているように目の前で歩いたという、気味の悪い話だ。あれ以来、彼女はこの話題ばかりオウムのように何度も繰り返していた。

「そのぬいぐるみのことを、ぼくは信じていないとは言ってないだろ。ただ気にしていないだけだよ。だいたい、きみはアレをひどく怖がっているけど、何日も前にぼくがわざわざ遠くへ捨ててきたんだから、この話はもうやめよう。今ごろどこかのごみ処理施設で燃えかすになっているよ。それに正直いって、ぼくもあのぬいぐるみ、動いているんじゃないかと思っていたんだ。きっとなかにぜんまいかモーターが隠されていたんだよ」

「あの動きはそんなものじゃなかったのよ、もっと人間のような動きだったもの。それともわたし、つかれていたのかしら。あれは夢だったの？」

　ダンは肩をすくめた。

「気分をかえて、明日家族でショッピングに行こう。テッドにも何か新しいおもちゃを買ってやろうと思っているんだ。アレを捨てて以来、あの子がさみしそうだから」

　例のぬいぐるみをさがして家中を歩き回っている息子を、ダンは思いだした。いったいあのぬいぐるみのどこがそんなによかったのか理解できない。

「ねえ、アレは本当に捨ててきたの？　ちゃんと家から遠いところのごみ箱に入れてきたのね？　ごみ箱に入っているのを確認した？」

　不安そうな顔でジェニファーは、すでに何十回目になるかわからない同じ質問をした。昨日まる一日これに答えてすごしたダンは、彼女を落ち着かせる名人になっていた。彼女がいまだにあのぬいぐるみを怖がっていることはあきらかだった。

　しかしダンは、それほどあのぬいぐるみが悪いものだとは思えないでいた。たしかにあの狂った造作《ぞうさく》は悪魔的だが、彼女の話ではまるで、テッドを助けるために動いたようにきこえる。

タバコをあきらめたダンは貧乏ゆすりをしながら、テレビを見ている息子の横で新聞を読もうと考えた。ひざをかかえてブラウン管を食い入るように見つめるテッドは、ダンのなかに複雑な気持ちを思い起こさせた。最近ずっと息子の横にはあのぬいぐるみがいたのに、それを捨ててしまった今、急に彼を一人にしてしまったような居心地の悪さを感じた。

ふとテッドが立ち上がり、窓のそばにかけよった。

「どうしたんだい?」

まだしゃべれない息子は、首をかしげて窓辺をゆびさすだけだ。

「何かそこにいたのかい? まさか、あのぬいぐるみがたった今そこにいたとでも言うんじゃないだろうね」

テッドがうなずく。これはどういう意味のうなずきだろうかとダンは考えこみ、窓を開けてあたりを見回す。何もいない。

「あの青いぬいぐるみが窓辺にいて、隠れて家のなかを見ていたというのかい?」

うなずく息子の顔を見ながら、こんな時のために児童心理分析の本を読んでいればと後悔する。このままでは、青いものを見る度《たび》にあのぬいぐるみがいると信じこむようになるかもしれない。

頭をかかえているダンを見て、庭で家庭菜園をいじっていたジェニファーが、窓越しにどうしたのかきいてきた。

「なんでもないよ」

そう言って追い払った一時間後、今度は悲鳴をあげながら彼女がリビングに駆けこんできた。

妻に手をひっぱられ、トマトを植えた庭の一画へ行ってみると、なぜ彼女が悲鳴をあげていたのかがすぐにわかった。熟したトマトの実の下に、ここにいるはずのない汚れた青いぬいぐるみが落ちていた。

その直後に気を失った妻をベッドに寝かせると、ダンはそのぬいぐるみを、廊下にある物置の奥へかくした。テッドにはだまっているつもりだった。目覚めた妻がこのことを夢だと思うように台詞《せりふ》を考えなければいけない。

電話帳を見ても、ぬいぐるみを買った骨董屋の番号はわからなかった。あの女店主は、小型の人工知能を搭載した最新型の呪いの人形をただで客に配り、商品のリサーチをしていたのではないかと考えてみた。もしそうなら、呪いの人形としての機能には欠陥がないように思えた。

＊

物置のすきまからさしこむ光で、いつのまにか夜があけていることにブルーは気付いた。昨日、ここに閉じこめられて、すでに二十四時間が経過していた。しばらくの間、家のなかがあわただしかったが、すぐにみんなでかけてしまい、しんとしずまりかえった。自分はずっと物置に入れられたまま忘れさられてしまうのではないかと、不安になった。何度かとびらを開けようとこころみたが、自分一体の力では開きそうになかった。この先自分はどうなるのだろう。もとのようにカーロス家へもどれるとはまったく考えられないことだった。

「おーい、ブルー！　どこだよお！　家のどこかにかくれているんじゃないのかあ？」

「ブルー、どこにいるの？」

遠くから白馬と王女の声がきこえてきた。最初ブルーはそれが本物の声だとは信じられなかった。もう一度同じことが繰り返され、やっと自分が物置にいることを知らせるために声をはりあげた。

「ブルー、そんなところにいたのかよ。この家のどこかに絶対いるんじゃないかと思っていたんだ」

王子が物置のとびらごしに言った。姿は見えなかったが、とびらの向こうには声をききつけた四体が全員そろっているようだった。みんながいっせいに力をこめると、物置のとびらはなんとか動き、外へでることができた。

「わたしが家にいるってこと、よくわかったね」

「心配したのよブルー、無事でよかったわ。昨日、下の階で何か騒ぎが起きたと思っていたら、やっぱりあなただったのね。もしかしたらもどってくるんじゃないかと、予感していたのよ」

王女はやさしげにブルーの頭をなでた。

「本当はもどってくるつもりなかったんだよ。でもどうしてもテッドのことが気になったんだ。ずっとかくれて遠くからあの子を眺めているつもりだったんだ。みつかるつもりなんてなかったんだよ。本当だよ」

「ええ、わかってるわ」

「でも、動いたところをジェニファーに見られたこと、怒ってる？　この家にもどってきたこと怒ってるでしょう?」

「怒ってなんかいないわブルー」

「昨日、テッドにみつかりそうになって、必死にかくれたんだよ。トマトのかげにかくれたんだ。でも、ジェニファーが偶然そこにきちゃったんだ。わざとじゃないよ。それに、クマのマックスを汚したのもテッドじゃないんだよ。わたし、あの子とずっといっしょにいたからわかるんだ。犯人は他の人だよ」

「ブルー、わかったから」

王女はそう言うと、いたわるようにブルーをだき寄せた。この数日間の不安やつらいことが溶け、体中の綿《わた》がほぐれるような安らぎを感じた。

「さあ、ブルー、子供部屋に行こうぜ」

王子の言葉に、耳を疑った。

「部屋に入れてくれるの?」

「もちろんだよ、だって仲間じゃない」

白馬が鼻でブルーの背中を押し、階段の方にうながした。声がつまって、しばらく何も言えなかった。

「でも、今日はみんな動いていいの？　今、昼間だよ？　ウェンディたちはどこ？」

階段を一段ずつのぼりながらたずねると、王子が答えた。

「みんなショッピングに行ってるんだよ。絶対だいじょうぶだから。なあ、おまえの体、しめってるよ。子供部屋は陽当《ひ た》たりがいいから、からからにかわかすと絶対いいよ。ぼくたちもみんな、家が留守になった時、そうするんだ」

子供部屋はあたたかい光に満ち、ブルーはその雰囲気に目まいがしそうだった。しばらくの間、町中の冷たいごみ箱からもどってきてここにいることが信じられなかった。窓からさしこむ太陽の光で、ほこりがきらきらしていた。クマのマックスを含め、ウェンディのお気に入りのぬいぐるみたちがあいかわらず壁を埋め尽くしていた。自分もそれらのなかに加わりたかったことを思いだし、やっと願いがかなったんだと立ちすくんだ。幸せで、少し恐ろしくもあったのだ。

ぬいぐるみたちは本などがちらばった床の上をいそがしく歩き回った。車輪のついた子供用のいすや、お菓子の箱を押して、またたくまに出窓へ上がるためのぬいぐるみ用の階段を作り上げた。騎士だけがさっきからだまったまま一言も声をだしていなかった。

「出窓のあたりが一番、陽当たりがいいの」

王女はそう言うと、なれた感じで箱やいすで構成された階段をのぼり、出窓に置いてある植木鉢のとなりに立った。日向ぼっこをすることはいいアイデアに思われた。ここ数日苦労が続いたせいか、ブルーの体は手先の綿までじめじめしており、このさい思いきり水分を蒸発させたい気分だった。

「ねえブルー、あなたつかれているでしょう？　わざわざ階段なんかつかわなくていいようにひもでひっぱってあげるから、そこにいて」

「えー？　いいよそんなことしなくて」

気をつかってくれる王女に、照れてそう言った。しかし王子と白馬がどこかから毛糸を持ちだしてきて、ブルーの体に巻き付けた。騎士はそれを横目で見ながら王女のとなりに移動した。

「ねえ、そんなにいっぱい毛糸でしばらなくてもいいと思うんだ。これじゃ動けないよ」

「まあまあ、そんなこと言わずに。途中で落ちたら痛いじゃない？」

「痛くないよ、ぬいぐるみだもん」

無視して白馬はぐるぐる毛糸を巻き付けた。身動きできなくなったブルーは、騎士と王女にひっぱられて陽当たりのいい出窓へ持ち上げられた。

開け放った窓からあたたかい風が入り、そこは快適な場所だった。太陽光線が冷たくなった青い生地をあたため、体中の綿を幸福な気分にさせた。だれも巻き付けた毛糸を外そうとしなかったが、ブルーはたいして気にしなかった。

少しの間、五体ならんで体を乾燥させた。こうすることで殺菌され、結果的に子供を守ることにもなると、ケリーに教えられていた。

「ねえ、どうしてこの出窓で日向ぼっこするの？　子供部屋の向こうにも乾燥するのによさそうなところがあるよ？」

王子にたずねた。

「ここが絶対にいいからだよ。だって、燃えかすとかすぐに窓から捨てられるだろう？」

「燃えかすって？　ここで何か燃やすの？」

「ぼくらはこれからごみを燃やすんだよ、燃えかすが部屋のなかに残っていたら絶対に大変じゃないか」

「えー、ぬいぐるみが勝手に火とかつかったらだめなんだよ！　ねえ、この毛糸をそろそろはずしてくれないかな？　体に跡がついちゃうよ」

騎士にたのんでみたが、彼は肩をすくめるだけだった。

「ねえ、今、幸せ?」

王女の問いに、ブルーはうなずいた。

「あたたかくて体がほかほかするよ。わたしここにいていいのかな? ジェニファーたちがもどってくる前に、また物置へ入っていないといけないかな? ねえ、わたし今とてもテッドに会いたいんだ」

「そうしたくないのなら、もう物置に入らなくていいわ」

「本当? わたし、王女のこと大好きだよ。だってやさしいもの。わたし、お姉さんがいたら王女みたいな人だったらいいとずっと思っていたよ。テレビドラマにでてくる人間の家族にいるみたいな本物のお姉さんだよ。ねえ、お姉さんって呼んでもいい?」

「ああ、ブルー……」

王女はさも残念そうに言った。

「それはまっぴらごめんだわ」

一瞬、王女が何を言ったのかブルーには理解できなかった。

「おどろくのも無理ないと思うわ、ブルー。でもよくきいて。あたしあんたのことが大嫌いなの。吐き気がするわ」

王女は口に手をあて、「おえっ」というジェスチャーをした。

「ねえ、何を言っているの？　あんなにやさしくしてくれたじゃない？」

苦労してやっとそれだけ言葉をだせた。

「だってあなたといっしょにいると、あたしのかわいらしさがひき立つんですもの」

王女の命令で、騎士がカーテンの裏側からマッチを取りだした。悪い予感がして毛糸の束縛から逃れようともがいたが、だめだった。

「ねえ、今からマッチでごみを燃やすんだよ、ブルー」

あばれるブルーを押さえつけ、白馬がささやいた。

「ごみってなんなの？」

王子が無知をさとすように答えた。

「子供部屋にきみ以外のごみはないだろ？」

「いやよ、やめてったら！　どうしてこんなことするの？　怖いよ、助けて！」

恐怖で身がすくんだ。そのようすが愉快だったのか、白馬は笑いながらブルーのまわりをぐるぐる回った。それまでの幸福な気分は、とっくに消えていた。

「王女はわたしのことがずっと嫌いだったの？　本当にそうなの？　うそでしょう？」

「うそだと思う？　あたし、あのテッドって子も大嫌い。だって汚らしいんですもの。階段から落ちた時に死んでしまえばよかったのに。あのクマのぬいぐるみも嫌いよ、他のぬいぐるみも全部大嫌い。ウェンディはあたしだけのものなのに！」

「マックスをジュースで汚したのはあなたなの？」

「傑作だったでしょう？」

王女の笑い声をきいて、ブルーは、自分が作られてはじめての強い恐怖を感じた。彼女が本気で自分に火をつけようとしていることがわかった。

「助けて！　この毛糸をほどいてよ！」

騎士に助けを求めた。

「なあみんな、このくらいでもういいじゃないか。わざわざ燃やして処理しなくてもかまわんだろう？」

「だめ。燃やす」

王女の短い答えに、彼は肩をすくめた。

「だそうだ。残念だね」

王女と騎士が力をあわせてマッチを点火しようとする。ぬいぐるみの手はマッチをあつかうのには不向きそうだった。王女が箱をささえている。マッチ棒を持った騎士が長い手を動かし、器用に火をつける。はじめて間近で見る火、あまりの迫力にブルーは動けなくなった。

逃げないように、王子と白馬に後ろから押さえこまれた。マッチ箱を置いて、王女もそれに加わる。

たいまつのようなマッチを両手でかかげ、騎士が近付いてくる。まるで死に神だった。恐怖のため、彼と炎から目をはなせないでいた。

騎士が、炎をブルーの目の前に近付け、言った。

「なあ、みんなは信じないかもしれないが、本当に残念だと思っているんだぜ。これまで五体でやってきたのに、これでもうだめになるってことがさ」

逃げられないことを悟り、首がうなだれる。もうテッドに会えないことが理解できた。

「ずっとうまくやっていけたらと思っていたんだがなあ、王女様、やっぱりあんたにはついていけないよ」

騎士が決心したように動いた。いよいよだめだという瞬間、マッチの炎はブルーの鼻先を通り過ぎ、王女の黄色い髪に押しつけられた。ブルーに鼻はなかったが。

パニックになった王女は、出窓から床の上へ落ちた。悲鳴をあげて髪をふりみだすと、すぐに火は消えた。その間に騎士は、王子と白馬にも点火した。二体もそれぞれ出窓から落下し、火を消そうとやっきになった。

王子の火はすぐに消えた。白馬のはなかなか消えず、おしりが燃えているまま部屋中を走り回ったため、床に置かれていた本に炎が燃えうつった。

ブルーが啞然《あぜん》として三体を見下ろしていると、騎士はマッチの火を消し、カーテンの裏からカッターナイフを持ちだした。それによって、毛糸の束縛から自由になることができた。

「わたしを助けてくれたの？」

「わからん」

彼はそれ以上、何も言わなかった。

本にうつった炎が、ベッドのシーツに燃え広がる。すでに白馬のおしりは焦げ目《こめ》がついた程度に落ち着いているが、燃え広がった炎に関しては、だれも何もできないでいた。瞬く間に大きな火柱へ発達し、もうぬいぐるみがどうこうできるものではなかった。

「あの火をなんとかしなくちゃ！　ねえみんな、早く消さないと、ウェンディの部屋がなくなっちゃう！」

「無理だよブルー」

騎士がかぶりをふる。

「でも、ここにはウェンディの大切なぬいぐるみが置かれているんだよ！　それが燃えたらあの子とてもかなしむんだよ！」

「他のぬいぐるみが燃え尽きるんなら、絶対好都合じゃないか！　ぼくたちは逃げるからね！　きみたちはずっとそこにいなよ！」

王子はそう言って部屋をでて行った。王女と白馬もそれにならう。

「おれたちも早くここを逃げださないと、乾燥した体が炭になっちまう」

騎士がうながす。

ブルーは、子供部屋に残されてゆくぬいぐるみが心残りだった。祖母からもらったクマのマックスが燃えてしまったら、ウェンディはどんなに落ちこむだろう。あの子はぬいぐるみを一つ一つ大切にしてきたというのに。

先に騎士が窓枠からジャンプして、一階からはりだした屋根へ下りる。段差のためそこに下り立つと、もう一度出窓へのぼることはできそうになかった。窓から見下ろすブルーにむかって、はやく屋根へ下りてくるよう手招きしながら切迫した声をだした。

「はやくこいよブルー、ウェンディのぬいぐるみなんか放っておいたらいいんだ!」

「どうして⁉」

「ウェンディはおまえが思っているほどぬいぐるみなんか大事にしていないさ! そりゃあ、燃えてしまったら少しは残念がるかもしれないが、どうせすぐに新しいのを買ってもらうに決まっているんだ!」

騎士はひどくじれったそうにしていた。

ブルーは部屋のなかをふりかえる。炎は数秒ごとに巨大なうねる生物へと成長していた。あれに焼かれたら自分はひとたまりもないだろう。発生した黒い煙が、ブルーの立っている窓から外へあふれだす。ぬいぐるみの体には圧倒的すぎる熱気を感じた。

しかし窓から飛び下りて逃げることがどうしてもできないでいた。

「ねえ、わたし子供の泣くところを見たくないんだよ! このあいだ、本当にかなしいってことがどんなことかわかったんだ! 知ってる? 大切なだれかと別れるってことは、つらくて苦しいことなんだよ！　わたしウェンディのぬいぐるみを助けてから逃げたいよ！　ここにあるぬいぐるみは、わたしなんかよりもずっと値段が高いんだよ！　わたしが燃えてもウェンディは泣かないと思うけど、マックスが燃えたら泣くと思うんだ！　だから、先に逃げて！」

「ばか、ブルー、どうしておまえはそうなんだ！　もうすぐみんなかえってくるんだぜ⁉　テッドに会いたくないのか⁉　おまえがここにいることをあいつ喜ぶぜ！」

「ありがとう、助けてくれたとき、うれしかったよ。でも、もういいんだ。わたし、今、なぜなのか全然わからないけど、とても幸せな気持ちなんだよ！」

ブルーは胸のバッジをさわって手触りを確認した。カーロス家にきて体験したことが次々と思いだされた。つらいことが多かったのに、怒りや憎しみはなかった。穴があいてぼろぼろの体から、どうしてなのかわからないが、炎に対する恐怖が消えさり、どうしようもない幸福感がわき水のようにあふれて止まらなかった。

屋根からでは騎士の長い腕も、ぬいぐるみを助けようと火のなかへ逆戻りするブルーをひきとめるには短すぎた。

＊

ジェニファーの気分がすぐれないため、早々にショッピングを切り上げてカーロス一家がかえってきた時、すでに消火活動は終わってやじ馬も見あたらなかった。家の前でダンがきいた消防士の話では、通報がはやかったために子供部屋が燃えただけですんだそうだ。

荷物を両手にかかえてとなりできいていたジェニファーは、どさどさと荷物を落とし、芝生にすわりこんだ。

「ダン、精神安定剤を買い忘れたわ……」

彼女は息子にしがみついてしばらく二階の焦げた窓を見上げていた。

子供部屋が燃えたときいて一番動揺したのはウェンディだった。娘のぬいぐるみコレクションが子供部屋にあったのを思い出し、ダンは同情した。

「ところで、ご家族は四人でしたよね？　もう一人お子さんがいらっしゃるということはないのでしょう？」

消防士はうかない顔でダンにたずねた。

「残念ながら隠し子はいませんよ」

「それは不思議ですね……」

いち早く家へ入っていたウェンディの悲鳴が、外にいるダンにきこえた。かけつけてみると、燃えたと思われていた娘のコレクションがキッチンのテーブル上に積まれていた。

「パパ、見て。マックスは無事だよ！」

「なんだ、これらも救出してくださったのですね」

消防士に礼を言うと、彼は納得できないという顔をした。

「違うんです。これらを火事から助けだしたのは、わたしらではありませんよ。そのとき家のなかにいただれかなのです。目撃者の話ですが、煙のでている窓から、だれかがぬいぐるみを外に投げだしていたそうです」

「いったいだれが？」

「さあ……、煙でよく見えなかったようですね。しかしだれかが中にいるとわかって家にふみこんだのですが、だれもいなかったそうですよ。火事もすぐに消えましたし、とにかく、被害が少なくてよかった」

消防士は家からでて行った。ダンはしばらくの間ぬいぐるみを助けてくれた人物についてて心あたりをさぐっていた。なんとかしてその人物にひとこと礼を言いたいと思っていたのだが、結局わかりそうになかった。

ウェンディはテーブル上につまれたウサギやネズミなどに火傷《やけど》のあとがないか調べていたが、やがて「あっ！」と声をだした。

「パパ、これちょっと焦げてる。もういらない」

失望した顔で娘がさしだしたぬいぐるみは、この前の誕生日にプレゼントしたもののうちの三体だった。

「しかし、ほんのちょっと黒くなっているだけじゃないか」

「でもいらないもん！」

王子と王女、そして白馬のぬいぐるみを押しつけられ、ダンは途方に暮れた。騎士のぬいぐるみだけが無事で、ウェンディのコレクションから外されなかったことが幸いに思えた。

玄関をノックする音がきこえた。さきほどの消防士だった。

「実は、お渡しするのを忘れていたものがあって、もどってきたんです」

彼が持ってきたのは、例の青いぬいぐるみだった。あいかわらずひどいデザインで、ところどころ穴があき、胸に安っぽいバッジをしている。体の半分近くが燃えて炭化していた。消防士の話では、なぜか屋根にひっかかっていたそうだ。

「はたして捨ててしまっていいものかどうか迷ったのですが……」

「これに関してはそうしてもらってかまわなかったのですがね。とにかくありがとう」

消防士を見送るために、ダンはぬいぐるみを片手でつかんだまま外へでた。正直いって、そのぬいぐるみをいつまでも持っているのは気持ち悪かった。早く捨ててしまいたかった。

消防士の運転する車は、街路樹の並んだ通りを走り去りすぐに見えなくなった。


家へもどろうとしかけたダンの横に、いつのまにかテッドが立っていた。ダンの手の中の、さきほど消防士から手わたされたぬいぐるみをゆびさし、目を赤く泣きはらしていた。息子にぬいぐるみをわたすと、まるでペットか何かをあつかうように、ていねいな手つきで受け取った。

おそらく錯覚だったのだろう。ぬいぐるみの短い腕がかすかに動き、今にも泣きだしそうなテッドのほおをなでたような気がした。

ぷつん、ぷつん、とちからつきたように縫い目の糸が切れ、やがてテッドの小さな両手のひらの上で、ぬいぐるみはばらばらになった。風に吹かれ、青い生地や毛糸、なかにつまっていた綿が通りに散らばり、転がっていった。

テッドの手のなかに残ったのは、バッジと、それにくっついていたぼろぼろの青い布切れだけだった。

平面いぬ。

1

わたしは腕に犬を飼っている。

身長三センチくらいの、青い毛並みの犬だ。名前はポッキー。オス。彼はハンサムではないが、愛くるしい顔立ちをしており、口に白い花をくわえている。

本物の犬ではない。皮膚に描かれた小さな絵だ。

ポッキーとの馴《な》れ初《そ》めは、親友の山田さんが用意してくれた。彼女は美人で頭もよく、学級委員をつとめているが、わたし同様、友達が少なかった。わたしの考えるところでは、彼女の背中に彫られた桜の刺青《いれずみ》に原因があるのではないかと思う。けれども、彼女自身それが原因であることに気付いている様子はなく、その日も彼女は昼休みに『月刊TATTOO』という雑誌を物憂《ものう》げに読んでいた。

校舎裏の、薄暗い、ひっそりとしたところにわたしたちは並んで座っていた。コンクリートの冷たさがスカート越しに伝わってきて、腰が冷えそうだった。明るい日差しの中でバレーをしている女の子たちの喚声が、遠くで聞こえていた。

わたしはこういうジメジメした感じが、嫌いではない。

「高校を卒業したら、家業を継ぐために修業しようと思っているんだ」

山田さんがつぶやいた。あまりに何気ない調子だったので、あやうく聞き逃すところだった。

来年、高校三年生になる。わたしは進路などなにも考えていなかった。

まじまじと彼女の顔を見つめた。結局、彼女は膝に載せている怪しげな雑誌から一度も顔を上げず、涼しげな笑みだけを口許《くちもと》に浮かべていた。

「つまり、彫師《ほりし》の修業をするのね」

山田さんはうなずいた。

「最近、女性の彫師って増えているの。父さんのところにも一人、女の人がタトゥーの勉強にきているわ。あ、そういえば……」彼女は雑誌をたたみ、隣で額に手を当てているわたしの方を見た。「鈴木はウチの店に来たこと、なかったね。今日、学校が終わったら、遊びに来てみない？　ねえ、どうしたの？　顔が青いよ」

「放っておいて。あなたがあまりにも突然、重大なことを言い出すから、ちょっと吐きそうになってるのよ」

「吐きそう？　何を？　さっき食べた焼きそばパン？」

彼女の父親は、彫師である。主に日本画の刺青を扱っており、龍や錦鯉《にしきごい》の絵などを客の背中に描いていた。

見た感じ、山田さんの家は、理髪店のようなたたずまいをしており、清潔そうでちょっと意外だった。

「もっとこう、書道の達人がなぐり書きしたような看板があるものと想像していたよ」店先にはセンス良く、『TATTOO』と金色の文字が出ている。「極道っぽくないなあ」

そう言うわたしを見て、山田さんは腕組みをして溜め息をついた。

「お客さんは、そういう人達だけじゃないよ。いやまあ、ウチのメインは日本画だから、そういう職業の方もいらっしゃるわけだけれども。若い人達も結構、彫りに来るよ」

「やっぱり、観音様とか彫って帰るの？」

「違うよ。絵柄は色々あるの。模様をカタログから選んでもらうこともあるし、あらかじめ自分でデザインした絵柄を持ってくる人もいるんだよ」

ガラスのドアを開けて店内へ入ると、そこは待合室になっていた。巨大な観葉植物があり、黒いシンプルなソファーがある。壁は白く、清潔そうな雰囲気だった。まるで歯医者さんの待合室のようだ。

山田さんは待合室にわたしを座らせ、店の奥へ消えた。わたしは備え付けのラックから本を手に取った。雑誌だと思っていたものは違った。刺青の写真や、イラストがたくさん載っている。どうやら刺青のカタログのようだった。

炎、星、ハート、様々な種類がある。

雑誌に影がおちた。ふと顔をあげると、背の高い見知らぬ女の人がわたしを見下ろしていた。目が合うと、笑みを浮かべて礼をした。

「コンニチハ」

彼女の口から聞こえたのは、つたない日本語だった。外国の人だ。

彼女の隣に、山田さんが立っていた。

「この人はね、今、ウチで刺青の勉強をしているの。中国の人」

わたしはどぎまぎしてしまった。はじめて外国人と向かい合ったからというだけではない。彼女が格好良かったからだ。黒いスーツを着て、色のついた眼鏡をしている。耳に金色のピアスをたくさんつけていた。

その中国人は人差し指と中指を立て、

「ヨロシクっ」

と言った。その時点で、すっかりわたしは彼女のファンになっていた。緊張した声で自己紹介をしながらも、もし自分が男だったら彼女を気絶させて持って帰ってしまうのに、と思っていた。

「実は彼女、もうすぐ日本を去ってしまうんだ」

がっかりした。

「中国へ帰ってしまうのですね」

彼女はかぶりを振った。話によると、アメリカでレーザーの技術を研究したいそうだ。わたしにはよくわからないが、刺青を消すのにレーザーを使用するらしく、日本ではその技術はまだ未発達なのだそうだ。

「今日ハ師匠ニ、オ別レヲ言イニキタノ」

中国人はたどたどしい日本語で説明した。

「この人、本当に上手な刺青を彫るんだよ。そうだ、鈴木、せっかくだからこの人に刺青を入れてもらいなよ」

山田さんの提案は、いつものわたしなら断っているはずだった。しかし十五分後にはしっかりと店の奥で左腕の袖《そで》をまくっていた。その中国人にほれてしまったのだから、しょうがない。

店の奥にはベッドと椅子が置かれており、本当に病院の診察室のようだった。背中に刺青を彫ってもらうお客さんは、そのベッドでうつぶせになるのだろう。

左の上腕に彫ってもらうつもりのわたしは、椅子に座らされていた。

「多くの人が、最初に刺青を入れる場所として、左の二の腕を選ぶのよ」

山田さんはベッドに座って足をぶらつかせていた。

「ねえ、お金、持ってないけど、いいの?」

「大丈夫、彼女も今日は、お金をもらうつもりはないみたいだし」

中国人のお姉さんを見ると、銀色に光る針のような器具を消毒しながら、楽しげに顔をほころばせてうなずいた。本来なら五千円から一万円はかかるらしい。

部屋は蛍光灯で真っ白に照らされて、ちり一つ見当たらなかった。無菌室のようだ。窓辺に白い花の生けられた花瓶が置かれ、ブラインドが半分おろされている。壁に鳩時計がかけられていた。

椅子の横に、ごみ箱がおかれていた。中をのぞき込むと、血のついたティッシュが丸めて捨てられている。わたしは急に、不安になってきた。

「痛くない？」

山田さんは意地悪そうに目を細めた。

「すげー痛いよ」

「まじで？」

「本当は、個人差があるかな。痛がる人もいれば、眠ってしまう人もいるし。まあ、鈴木なら大丈夫だろう、という根拠のない言葉をかけておこう」

中国人のお姉さんが、わたしの側《そば》に置かれていたもう一つの椅子に座り、刺青を入れる作業がはじまった。

わたしは心を落ち着かせるために、長い息を吐いた。

どんな絵を彫るのかは、店の奥へ案内される前に決定済みだった。わたしはただ一言、「犬を彫ってくれ」と中国人にお願いしたのだ。彼女も一言、「オーケー」と返し、イラスト集を見せてくれた。犬の絵がたくさん掲載されていた。わたしは一人、待合室で絵柄を選んでいた。

パラパラとイラスト集をめくっているうちに、あるページではっとする運命的な出会いを感じた。そのページに描かれた犬の絵が、頭にはりついてしばらく消えなかった。そして、この犬が一生わたしの幸運の印として腕にいてくれたら、どんなにいいだろうと思った。その瞬間、彫るべき絵柄は決定された。わたしはその絵が載っていたページ数を覚え、中国人に伝えた。彼女は、「マカセロ」と親指をたてた。

まず最初に、タトゥーを入れたい場所に絵を転写しなければいけないそうだ。この作業はフリーハンドでもかまわないそうだが、中国人のお姉さんはトレーシングペーパーを用いるらしい。特殊なカーボン紙を使って下書きをトレーシングペーパーへ写し、わたしの左上腕に薬品をつけてそれをはり付ける。すると肌に絵が転写されるそうだ。

そう説明を受けても、わたしはあまり聞いてはいなかった。中国人のお姉さんが美しい顔をわたしに近付けるたびに、いい匂いが漂ってきて、それどころではなかった。実際、描かれている絵さえ見ていなかった。

次に、マシンを使って線を引く。彼女は三本の針を組み合わせたような器具を持ち出し、わたしの肌に線を引きはじめた。臆病なわたしは顔をそらせて目を閉じたが、痛みはそれほどではなかった。毛抜きで毛を抜いた時の痛みが、一秒間に数回、連続して続くような感じだった。

わたしは少し安心して、描かれている犬の絵に目をやった。

鳩時計が鳴った。間抜けな鳴き声だった。

「鈴木、何か本でも読むかい？　右手だけで読めるでしょう？」

山田さんが気を利《き》かせてくれた。

「うん、さっき読んでたイラスト集でも確認したいな。あの犬のやつ」

中国人は、また別の器具を持ち出してきた。今度も針を並べたような器具だったが、さきほどのものより針の数が二、三本、多い。それでわずかに影をつけるらしい。

わたしはイラスト集をめくりながら、少し額ににじんだ汗をぬぐった。

「やっぱ痛い？」

「うん、ちょっとね」

本当は、あまり痛くはないのだが、そう答えた。

次に中国人のお姉さんは、針をまるく束ねた器具を使い、色を塗りはじめた。針の数は十四本くらいに増していた。

結局、完成までに約一時間ほどかかった。

「今ハ変ナ色デスガ、何日カスルト、綺麗ナ色ニナリマスヨ」

わたしは左上腕に描かれた青い犬の絵を見て、中国人に礼を言った。

彼女は、自分の仕事に満足した様子でうなずき、十分後には店を出て渡米の準備のために帰っていった。本当に名残惜《なごりお》しかった。記念写真でも撮っておけばよかった。

「いい腕をしてるなあ、あの人。こんなに小さな犬の絵を、よくここまで可愛らしく描けるもんだ」

「犬の名前はポッキーに決めたよ」

彼はわたしの左腕にちょこんと正面を向いて座っている。何かを問いたそうに首をかしげ、口に白い花をくわえている。小さな犬だ。

「それにしても、とうとう最後まで言えなかったなあ……。山田さん、さっきの人、よく日本語を聞きまちがえたりするの？」

「まあ、時々あったけど、一年、勉強しただけであれだけ喋れるってすごいよ。それがどうかした？」

山田さんに、犬のイラスト集を見せた。そのページには、今にも人を食い殺しそうな凶悪な顔つきの犬の絵が載っていた。涎《よだれ》を垂らした、リアルな犬の絵だ。

彼女は顔をしかめた。

「すごい絵ね」

「あの中国人のお姉さんには、このページの番号を伝えたはずだったんだけどな……」

半《なか》ばハプニング的にわたしとポッキーは出会い、その日から数日間、襲ってくる痒《かゆ》みに耐えなければならなかった。刺青を入れた箇所《かしょ》がどうしようもなく痒かったのだが、爪をたてて掻《か》いてはいけないと山田さんに言われていた。

しかし三日もたつと痒みはおさまり、ポッキーの青い色もなかなか鮮やかになった。まさに、絵がわたしと一体になった気がして、いい気持ちになった。わたしの望んだ絵ではないが、悪くない。左上腕の犬を見て、しばしば顔をにやつかせた。

「最近あなた、何かお気に入りのものでも買ったの?」

と、ミサエがアイスコーヒーのグラスを置いてわたしに尋ねた。

喫茶店でのことだった。わたしとミサエは向かいあわせにテーブルをはさみ、何でもない会話を交わしていた。店内には柔らかな音楽が流れ、冷房がきいていた。ガラスの外では強い日差しの中、背広姿のサラリーマンがたくさん歩いていた。

「なんで?」

「だって、今あなた、奇妙な鼻歌を歌っていたわ。壊れたテープレコーダーのような例のあれを。あなたがその鼻歌を歌う時って、たいてい、お気に入りのものができた時だわ。だから、新しい腕時計かなにか買ったのかなと思って」

ミサエとは付き合いが長い。彼女はわたしのことをすべて見通しているようだった。

「ええ、まあ、そんな感じのものができたのよ」

わたしは制服の上から犬の刺青をなでた。犬はぎりぎり袖に隠れて見えない。

彼女は深く追及せず、グラスの中の氷に目を奪われている。

その日、ミサエと街で出会ったのは偶然だった。高校から帰る途中、彼女はわたしに気付かず、目の前を通り過ぎようとしたのだ。声をかけると彼女は振り返ったが、わたしの顔を見た瞬間、曖昧《あいまい》な笑みを浮かべ、たとえようのない複雑な表情を浮かべた。

彼女はどことなく、疲れた様子だった。聞くところによると、旦那の診断結果を聞くために病院へ行った帰りらしい。わたしは、彼女の旦那が体を患《わずら》っていることすら、今まで知らなかった。

　ミサエはグラスの中の真っ黒な液体に目を向けたまま、じっと動かなくなった。目の前にいるわたしのことすら、見えなくなったようだった。

　彼女の重苦しい雰囲気から、診断結果が思わしくないことを察した。

「ねえ、大丈夫？」

　声をかけると、はっとしたように顔をあげ、取《と》り繕《つくろ》うように笑顔を作って言った。

「ちょっと、この店、冷房がききすぎね」

　うなずいて腕をなでると、鳥肌がたっていた。肌にできたぶつぶつの下に、犬が住んでいるかと思うと、不思議な気持ちになった。

「そういえば犬……」ミサエが突然、犬という単語を発したのに驚いた。心を読まれたのかと思った。「時々ね、犬の臭いがするのよ。隣の家でこっそり飼っているんじゃないかしら。うちのマンション、ペット厳禁なんだけどね」彼女が深く空気をすった。「ねえ、この店も、犬の臭いがしない？」

　深呼吸してみる。臭いはしなかった。

「しないよ。気のせいじゃない？」

喫茶店を出ると、それまで忘れていた暑さに、どっと汗が吹き出した。刺青の部分からも汗は出るのだろうかと、軽く疑問に思った。

わたしが注文したチョコパフェとアップルパイとミルクティーの代金も、ミサエがいっしょに払ってくれた。彼女が精算して出てくるのを、わたしは店の前で手持ちぶさたに待っていた。入り口の脇に、鮮やかな緑色の葉をつけた植え込みがあった。そこに腰掛け、わざとだらしなく足を投げ出していると、案《あん》の定《じょう》、ミサエが「コラッ！」と怒った。

「お医者さんに、あなたの旦那さん、癌《がん》ですよ、って言われたの。胃癌で、あと半年の命なんだって」

電車の手摺《てすり》に体をあずけながら、彼女は言った。目は窓の外の、過ぎ去る風景に向けられていた。

その日、めずらしく家族そろって夕食を囲んだ。わたしは家族団欒《だんらん》が苦手で、みんなと食事することはまれだった。その席で、じっと父シゲオを見た。わたしは父と、あまり仲がよくない。彼は娘のやることすべてが気に入らないらしく、最近ではあまり言葉を交わさなくなっていた。

そもそも父シゲオは無口な男で、大口を開けて笑うこともしなかったし、だれか他人を笑わせて楽しくさせるような男でもなかった。出世もしていないようだし、なぜそんなに髪の毛が抜けているのかもわからない。わたしにとっては得体のしれない人間だった。

彼はビールを飲みながら、ゆっくりと食事をしていたが、やがてそれも終えるとおなかをさすりながら言った。

「どうも最近、胃潰瘍《いかいよう》がひどくなったみたいで……」

ミサエは彼に、まだ本当の話をしていなかった。

2

一週間たつと、もう完全に犬の刺青《いれずみ》はわたしと一心同体になっていた。

腕を見るたびに、ちょっとうれしくなる。鏡の前で、ポーズをとってみたりする。それに、このポッキー、刺青というレベルを越えて、存在感があった。うまく形容できないが、腕の上で本物の犬を飼っているような、不思議な気分になることがしばしばあった。

しかし、父シゲオと、母ミサエには、まだ刺青のことを教えていなかった。弟にもだ。特に知らせる義務はないのかもしれない。ただ、父がこのことを知ったら、なんとなく怒るような気がした。

　ある朝、わたしは犬のうなり声のようなもので目が覚めた。まったく、こんな朝からどこの野良犬だろうと思いながら、目をこすり、目覚時計を見た。ベルが鳴りだすわずか三分前だったので、これから二度寝するのも何だかなあ、と思いつつも、もう一度眠りについた。

「今朝、どこかで犬がうなっていたよね」

　朝食はごはんとみそ汁、おかずとして犬の話題が出た。

「やっぱり、このマンション内でだれか犬を飼っているんだわ」

　ミサエが言った。わたしは野良犬だと思っていたのだが、彼女が言うには、犬の声はどこか近くから聞こえていたそうだ。

　その日、彼女は体の調子を悪くしていたのか、時々、声をかすれさせ、まるで他人のような声をだすことがあった。旦那の患《わずら》った重い病気のことを、考え続けたせいだろう。

「なんだか、食事を飲み込む時、喉《のど》にひっかかるのよね。風邪でもひいたのかしら?」

「喉飴をあげようか?」

　と、弟のカオルが言った。

「ミサエ、病院へ行きなさい」と、父シゲオ。「いくら風邪とはいえ、死ぬことだってあるんだぞ。本当に、気をつけなさい。その年で子供たちを残して死ぬことになったら、どうするんだね」

ミサエは実に複雑な表情を浮かべて、「はあ……」と言葉を濁した。

学校へ行く途中、電車の中で犬の様子がおかしいことに気付いた。

最近、いつもそうするように、電車のシートに座って、左腕のポッキーをちらちらと眺めていた。こんな風に、お気に入りのものを手に入れてにやにやできるのは、最初の一、二週間くらいだ。それを過ぎると、お気に入りのものは存在して当然のものになってしまう。そのかわり愛着というものが大きくなっていくのだけれど、わたしはこの見ているだけでも幸福になれる時期が好きなので、少しでも長く眺めていたいと思っていた。

が、その朝のポッキーはどこか妙だった。

青い色、ちょこんと正面を向いたおすわりのポーズ、問い掛けるようにかしげた首、口にくわえた白い花。一瞬見ただけでは、あの中国人のお姉さんが彫った時と何ら変わったところはない。

わたしは混雑する電車の中、自分の左腕に顔を近付けてうなってしまった。まわりにいた人々は、この様子のおかしい女子高生を変な目で見ているだろうな、と思った。

そういえば、犬の首、今までは右にかしげていただろうか、それとも左にかしげていただろうか。今、彼の首は左にかしげられている。以前は逆だったような気もするが、きっと気のせいだろう。

わたしはそれ以上考えないことにして、電車を下りた。

駅から高校までの道すがら、犬を散歩させるおばさんとすれ違った。小さな犬だった。あの茶色の体。黒い瞳。ヨークシャーテリアだ！　と心をときめかせていると、首輪をしたテリアがクンクンわたしの匂いを嗅ぎに近付いてきた。

わたしの体に、よほどその犬の気を引くような匂いでもついていたのだろうか。とにかくわたしは、しめしめと思って犬をなでる心の準備をしていると、どこからか別の犬の吠える声がした。まるでテリアにむかって発せられたようでもあった。まわりを見るが、声の主は見当たらない。

テリアはすっかりおじけづいて、わたしから遠ざかってしまった。飼い主は、さきほどの声がどこから発せられたのか不思議そうに、まわりを見回していた。

テリアをなでることができなくて、まったく残念だ。

わたしは腕時計を見て、学校へ足を速めた。すでに日差しが強く、また暑い一日になるのだろうな、といやな気分になりながら犬の刺青を眺めた。足が止まった。

刺青の犬が吠えるなんてこと、あるだろうか。もしポッキーが吠えたとしたら、きっとこうなってしまうだろう。

青い犬は相変わらず、首をかしげて、おすわりしていた。ただ一つ、口にくわえていた白い花が、ぽて、と彼の足下《あしもと》に落ちている。

なんだ、気のせいではなかったのか、という冷静な気持ちで、わたしはこの事実を受け止めた。

刺青から発せられるたとえようのない犬の存在感は、以前から感じていたものである。何となく、刺青の犬が皮膚の上で生活していても、それはありえることかもしれないと感じた。許容範囲だ。半年後に突然、家族が一人、減ってしまうことよりも許容できるという意味で。

しかし、山田さんは違った。犬の刺青が動いたことを説明したが、彼女は信じなかった。

「病院の予約をしといてあげようか、鈴木……」

脳腫瘍《のうしゆよう》でもできているんじゃないか、と彼女は心配そうな目でわたしに言った。

授業の合間の短い休み時間、わたしたちは学校の屋上に立っていた。わずかに風があり、鉄筋コンクリートに反射された太陽の熱を軽く吹き飛ばしてくれる。

「山田さん、今日、わたし、保険証を持ち合わせていないの」

袖《そで》をまくって、彼女に腕を見せた。犬の絵が微妙に変化しているのを見て、さあ驚くがいい、と思っていた。

予想通り、山田さんはわたしの腕を見て絶句した。

「どう？　本当に、口にくわえていた白い花が、落ちているでしょう？」

「いえ、それどころか……」彼女はきょとんとした目をわたしに向け、首をかしげた。

「いないっす、どこにも」

一瞬、何を言っているのかわからなかった。

腕を見る。刺青はあった。白い花の絵だけ。

肝心の犬は、花を残して、どこかへいなくなっていた。ついさっきまでポッキーのいた部分は、刺青を彫る以前の綺麗な肌になっていた。

犬が行方不明になったことで、わたしはパニックになりかけた。

しかし、すぐにポッキーは見つかった。彼は、わたしのヘソの上三センチメートルのところで居眠りしていたのだ。幸せそうに目を閉じて。

わたしがシャツを持ち上げてヘソを露出させていると、山田さんが耳を近付けた。

「刺青の犬が、いびきかいてるよ」

彼女は信じられないという顔でつぶやいた。

その後、ポッキーは数回、居場所を変え、学校から帰るころには、また左上腕でおすわりしていた。彼には、そこが自分の定位置だという自覚があるらしい。

わたしはその日、できるかぎり犬の観察につとめていた。その結果わかったことだが、彼は絶対に動くところを見せない。わたしがふと目を離した瞬間に、いつのまにか移動し、ポーズを変化させている。アニメのように動くところを想像していたわたしには、少々、意外だった。その意味で彼は、アニメというより、漫画に近い。

さっきまで居眠りする絵だったのに、次の瞬間、気怠《けだる》そうに伸びをする絵となっている。きっと、その中間の絵は存在しないのだ。そして、だれかに見られている間は、徹底的に彼は絵であり続けなければいけないらしい。神様はポッキーに、だれも見ていないところでなら動いてもいいという、自由をくださったのだ。だから、わたしがまばたきをした瞬間、刺青は、寝返りをうった犬の絵に変化する。

不思議なことに、ポッキーもわたしの存在を認識しているようだった。それだけでなく、皮膚の外に広がる世界についても、普通の犬と同程度の理解があるようだ。

今朝のテリアのことを思い出した。あの時の犬の声は、まちがいなくポッキーだろう。彼は、近付いてくるテリアにむかって、つい吠えてしまったのだ。その結果、口にくわえていた花を落とした。

目覚める前のうなり声はどうだろう。きっとあれも、腕の犬がやったに違いない。

駅のホームで電車を待ちながら、皮膚に描かれた犬を見ていた。帰宅途中の高校生やサラリーマンが数人、立っていた。空はすでに赤色へ染まり、聞きとりにくいアナウンスが流れると、速度を落とした電車が入ってきた。

ポッキーは左上腕で寝転がっていたが、わたしが数秒間、目を離したすきに、毛づくろいをはじめていた。

車両に乗り込み、手近なところに座る。毛づくろいをする刺青の頭を、そっと人差し指の腹でなでた。自分の指で犬の絵が見えなくなった瞬間、ポッキーの目は幸せそうに細められていた。

自分は刺青の犬と結婚してしまったのではないかという、おかしな気持ちになった。

家にたどり着くと、母の息子であるカオルが不機嫌な顔でカップラーメンを食べていた。急に現実的だな、と感じた。

「ミサエさんは？　お出かけですか？」

「書き置きがあったよ。病院に行ってるみたい」

カオルがテーブル上のメモを顎《あご》で指し示した。筆ペンで書いてある。

「さては癌《がん》のことだな」

わたしのつぶやきに、彼が首をひねった。カオルはまだ、母の旦那が胃癌であることを知らないらしい。

彼とは姉弟という間柄だったが、その歴史にはすさまじいものがあった。最初に出会ったのは、たしかわたしが一歳半の時だった。まだそのころは物心もついていなかったから、新しくウチに来たそいつが何なのか、よくわからなかった。もしそのころに戻れるのなら、ミサエの腕にだかれていたそれを段ボールに詰めて捨ててくるところだが、今となってはもう手遅れだ。

カオルはわたしから親の愛情を奪い去った。その報復措置《そち》として腕力に訴えてみたが、どうやら逆効果だったらしく、わたしは父シゲオに殴られた。今思えば、父が嫌いになったのも、それが原因だったような気がする。

彼は頭脳明晰《めいせき》な人間に成長した。生活態度もきびきびしており、姉とは大違いである。両親の期待は、すべて彼の方に向けられていた。実際、彼はその期待に応え、今年、頭の程度の高い人種が通う高校へ入学している。

わたしは何レベルも下の高校に、両親の溜め息を背後に聞きながら入学した。その時点ですでに、彼との長い闘争は終結したように見えた。

学校から疲れて戻り、弟と顔をつきあわせているのはまっぴらだったから、早急に部屋へ退散しようとした。

「実は、ある人にお金を貸していて、まだ戻ってきていないんだ。たぶんキミも知っていると思うけど、あのユウって女の人に催促してくれないかな。キミの知り合いでしょう？」

カオルはカップラーメンにむかって、わたしにも聞こえるように話した。

「ああ、わかってるよ、よく言っておくさ」

『君の知り合いでしょう?』という彼の言いぐさに、私は相当、頭にきた。

その時、カオルがせきこんだ。あまりに激しくせきこんだので、きっとラーメンの汁が大量に気管へ入ったに違いないと想像し、楽しくなった。

「ミサエさんの風邪がうつったのかな」

せきの止まった後、彼は苦しそうに胸を押さえながら言った。

三十分後に、両親が戻ってきた。

「あーあ、病院って疲れるのね」

ミサエが椅子に座りながらくたびれたように言った。風邪が悪化しているのか、声が微妙に違っているのに気付いた。

二人は外で食事をしてきたらしく、おみやげにケーキを買っていた。

ミサエがお風呂に入っている時、父シゲオが、わたしとカオルを居間に呼んだ。カオルはただ事ではない雰囲気を感じ取っているようだった。わたしは、これから何の話をされるのか、薄々わかっていた。おそらく彼は、妻から胃癌であることを知らされたのだろう。

父シゲオは、厳粛な面持ちでわたしたちを座らせた。あらためて、わたしは彼が苦手であることを知る。よくこうやって怒られた記憶がある。わたしがちゃんとやっているつもりでも、彼は何かと難癖をつける傾向があった。

「今日、病院へ行ってきた」父シゲオが話しはじめた。「最初のうち、母さんは一人で病院へ行き、風邪を診察してもらっていたんだ。だが、夕方になって、父さんの会社に医者が電話をかけてきた。重要な話があるから、来てほしいと」

想像していた話と、微妙に異なっていることに戸惑った。浴室で母の、湯を流す音がかすかに聞こえた。

「母さん、喉に腫瘍ができているそうだ。いわゆる咽頭癌《いんとう》というやつで、あと半年ほどしか生きられないらしい」

声が出せなかった。

カオルが尋ねた。

「そのこと、母さんは知っているの?」

「まだ知らない。わたしが病院まで迎えに来たことについては、風邪がひどいから念のために来させた、と医者が嘘の説明をしてくれた」

父シゲオは胸のポケットから煙草を取り出して吸おうとしたが、途中で握りつぶすと、

「……今日から、禁煙するか」とつぶやいた。

いまさら健康のためにか、おい、と心の中で小さくつっこんだ。

まだ、母は旦那に、胃癌の話をしていないらしい。

家族のうち二人が重い病気にかかっていたなんて、すごい偶然だ。しかも、癌で死ぬ割合は多いと聞く。両親が同時に発癌する確率は、天文学的なものかもしれないが、それはつまり天文学的視野で考えればありえないわけではないという意味だ。

まさか青い犬が不幸を運んできたのでは、とも思ったが、それはますますありえないことなので考えなかった。

風呂あがりのぬれた髪でミサエが居間に現れた時、カオルはわざとテレビのチャンネルを、ばかげた明るいバラエティー番組に合わせていた。彼はさきほどと同じようなはげしいせきをしながら、何も知らないことを装っていた。

次の日、カオルも病院へ行った。せきが続いたからだ。診断は肺癌と出た。残りの寿命は両親と同じくらい、短かった。

3

土曜日、学校が休みだったので、山田さんの家へあがりこんだ。事前に電話をして、三万円を用意するように伝えておいたから、彼女からお金を徴収するのはかんたんだった。店の裏側が山田家になっており、小さいが庭までついていた。

山田さんは頻繁に鈴木家へ現れ、家族とも顔なじみになっていた。しまいには、わたしよりも親しく弟と会話していたくらいだ。

わたしが彼女の生活空間を訪ねたのは、はじめてのことだった。

彼女の部屋は一階にあり、窓を開けると、直接、裏庭へ下りられるようになっていた。部屋の内装はすべて黄色で統一されていた。ステレオの上にピエロのオルゴールが置かれ、壁にジグソーパズルが飾られていた。

パソコンがある。彼女の説明では、インターネットにもつながっているそうだ。

裏庭に、犬小屋が見える。彼女もまた、犬を飼っていた。マービンという名前の雑種であることは聞いていたが、実際に見るのははじめてだった。刺青《いれずみ》ではなく、本物の犬である。

窓の側《そば》に置かれていたサンダルをひっかけ、犬小屋の影で寝そべっていたマービンをのぞくと、彼は「なんじゃい」という目で面倒臭そうにわたしを見返した。

わたしの左上腕から、威嚇《いかく》するような犬の声があがった。ポッキーは、別の犬が近付くと吠える習性がある。それは喧嘩をうっているわけではなく、単になわばりの問題だろう。彼は、わたしの体表面という自分のなわばりに近付いてきた犬を、追い払おうとするのだ。しかし、残念ながら彼の声は、あまり強そうではなかった。彼自身が三センチメートルの身長しかないという理由もあるが、まるで子供が強がっているような印象の吠え方だった。

マービンはポッキーの声を無視して、だるそうに目を閉じた。

「それで、三人はそれぞれ、自分自身が癌《がん》であることに気付いていないの?」

わたしは山田さんにうなずいてみせた。父シゲオは自分が胃潰瘍《いかいよう》だと信じており、ミサエとカオルは風邪であると信じている。しかし、自分以外の二人が癌で、半年の命しかないことはそれぞれ知っている。

父シゲオが胃癌であることを、カオルも知った。その時、彼は、

「なんてこった、半年後には姉と二人暮らしになってしまうのか」

と頭をかかえていた。実際はそうならないから安心しなよ、と口に出そうになった。

また、父シゲオは、半年後にはわたしと二人暮らしになるのだと思っているようだし、ミサエも同じことを考えているようだった。三人とも癌であることを知っているのは、わたしだけだった。

「聞くところによると、祖母は子宮癌、祖父は脳腫瘍《のうしゅよう》、伯父は直腸癌、叔母は乳癌で亡くなっているの。どうやら、うちの血統は癌で死ぬ確率がすごく高いらしい」

「鈴木は大丈夫なの？」

「今のところは。体の悪いところといえば、せいぜい数年前から、赤い斑点みたいなものが肌にできていることくらいかな」

「それをニキビと言うんだよ。そんなもの、肌の上で犬が生活していることに比べたら、たいしたことないね。やっぱり、能天気に生きるのが、病気にかからないコツなのかなあ」

「じゃあ山田さんも医者いらずだね」

彼女は立ち上がると、他の部屋から缶詰とお皿を持ってきた。どうやらマービンの昼食らしい。彼女は缶切りを使って、缶詰を開けはじめた。その音を耳聡《みみざと》く聞き付けた彼女の犬が、尻尾をふってすでに窓の側までやってきた。涎《よだれ》を垂らしている。ひょっとして、これがパブロフの犬ってやつだろうか。そんなことをぼんやり考えた。帰る途中、書店に立ち寄った。しばらく迷った後、一冊だけ本を購入して店を出た。家では家族が、何か複雑な視線で牽制《けんせい》しあいながら、土曜日の午後を過ごしていた。詳しいことはよくわからないが、三人とも、癌が色々な臓器に転移しており、回復は難しいそうだ。しかし、近いうちに入院し、手術を受けるのだろうと想像していた。

わたしは左上腕を見た。ポッキーの姿は見当たらない。背中、もしくは爪先にでも散歩に行ったのだろう。三人がいなくなったら、わたしには犬だけが残る。

恐ろしいほど甘いコーヒーを作り、居間のテーブルにつくと、さきほど購入した本を開いた。ミサエとカオルが、何かを言いたそうな目でわたしを見ていたが、結局、声をかけてきたのは父シゲオだった。

彼は、何か恐ろしいものを見るような目で、わたしを見た。父のそういう顔は、もうなれたと思っていたはずなのに、つらかった。わたしは父に嫌われているんじゃないかと、しばしば思うことがあった。わたしは勉強ができない子だった。親の期待に添えないことを、実はひっそりと心の中でわびていた。両親から小言を言われるたびに、いつもそのことを責められているような気がした。

弟がかんたんにやってのけることすら、わたしにはできない。例えば、挨拶やさわやかな笑顔、気持ちのいい会話、綺麗な字を書くこと、そんなどうでもいいようなことができない時、ミサエやシゲオは失望したような目でわたしを傷つけた。

「その本はいったい、何なのだね」

「関係ないでしょ、放っておいて」

その言葉が癇《かん》に障《さわ》ったらしく、父シゲオは本を取り上げた。『一人暮らしをはじめよう！』という題名の本だ。ミサエとカオルは、一歩離れたところから、成り行きを見守っていた。

「おい、わかっているのか？」

彼は妻と息子をちらりと見て、口ごもった。しかし、何を言おうとしたのかは伝わった。つまり彼は、「半年後には父さんと二人きりになるんだぞ！」と言いたかったのだ。その台詞《せりふ》を他の二人の前で言うのは、半年の寿命を告知することと同然だったため、はばかられたのだろう。わたしは言った。

「半年後には、一人だけで生活するはめになるんだから、しょうがないじゃない。だって、三人とも死ぬんですもの」

奇妙な沈黙の中、彼らはお互いを見つめ合った。

そのすきに、父シゲオの手から本を取り返した。


シゲオ、ミサエ、カオルの三人は、それぞれ自分の正しい病名を知り、その夜おそくまで話し合っていた。わたしは先に眠ってしまった。

次の日の朝、きっと三人は暗い顔をしているだろうと思っていたが、そうでもなかった。意外なことに、彼らは先に起きて普通に朝食を食べていた。

カーテンが大きく開かれ、すでに高く昇った太陽の光が部屋を明るくしていた。

綺麗にみがかれたガラスのコップに牛乳を注ぎながら、カオルがちらりとわたしを見る。半年後に癌で死ぬことを知らされたはずだったが、そうは思えない顔色をしていた。

「昨日、おそくまで一体なにを話していたの?」

彼に尋ねると、楽しげな声で返事が返ってきた。

「残りの半年を、どうやって過ごすかという話さ。父さんは会社を辞めて、この先、死ぬまで本を読み続けるらしい。母さんは主婦を続けなければいけないけど、ぼくは明日から学校をずる休みするよ」

「ずる休み？　いいなあ」

漠然とそう感じて、つい口にしてしまった。彼は気を悪くした様子もなく、不思議なほど陽気に笑みを作った。また、その明るさは両親にも感染していた。

「この夏服も、今年で全部、着納めなのね」

ミサエが自分の服を見ながら、残念そうに言った。来年の夏まで生きないつもりなのだろうか。

三人の間には、奇妙な連帯感があった。すでに死ぬことを受け入れているような気配さえあった。家族の中で、わたしだけが浮いており、仲間外れにされているような疎外感を感じた。

「手術はしないの？　手術をすれば、もしかすると助かるんじゃない？」

わたしの問いに、父シゲオが答えた。

「必ずしも助かるとは限らないじゃないか。詳しくはわからないが、今となってはもう手遅れの状態ではないだろうか。それに、手術にはお金がいるんだ。三人分の手術代なんて、結構な額になるぞ」彼は眉間《みけん》にしわをよせ、言葉に厳しさを込めて話を続けた。「きみは半年後には天涯孤独になるのだよ。何をするにしても、お金が必要になってくる。それなのに、成功するかどうか定かではない手術に、それも三人分も、お金は出せない」

昨夜、話し合っていたのはこのことらしい。

その時ようやく、自分がどうなってしまうのかわからないという不安を感じた。それはきっと、死の宣告を受けるよりははるかに軽い不安だっただろう。しかし、彼らのように人間のできていないわたしは、一人になった後の、財産の管理や、住居、食事などの問題を考えると、いっそ死んでしまいたい。

本当に、一人でやっていけるのだろうか。いや、正確には一人ではない。犬がいる。

その時、ポッキーの鳴き声が部屋に響き渡った。彼が家で吠えることは本当にめずらしく、わたし以外の人間がいる時に吠えたのははじめてだった。彼のことはまだ、家族に話していない。

三人は、不思議そうにまわりを見回した後、おそらくテレビの音だったのだという結論に達した。

わたしはこっそりと、左上腕の刺青を見た。犬は何かを訴えるような目でわたしの目を見返した。白い花を口にくわえていたが、わたしがまばたきをした瞬間、彼は花をパクリと食べてしまった。白い花の刺青は、肌の上から消失し、後には口をもぐもぐさせる犬の絵だけが残った。

彼は腹をすかしているのだ、とわたしはようやく理解した。そういえば、彼の餌の問題をすっかり忘れていた。これまで一度として食事を与えたことはなかった。

山田さんの家へ行ってくると家族に伝え、家を出ようとしたら、カオルが玄関で話しかけてきた。

「最近、見ないけど、あの人、元気なの?」

「山田さん、彫師《ほりし》になる勉強をしているみたいだよ」

カオルがわたしの顔をじっと観察していることに気付いた。

「きみ、以前は目のあたりに、小さなホクロがなかったかい? 直径一ミリ程度で、昔、鼻クソみたいだとか言ってぼくがばかにしていたやつ」

わたしは洗面台の鏡に走り、自分の顔を調べた。確かに、ホクロが消えていた。

ホクロを消した犯人は、ポッキーだった。山田さんの家へむかう途中、彼が新たな犯行を犯すのを目撃した。

わたしは彼を観察していた。すると、あまりに腹をすかせていたのか、まばたきした瞬間、わたしの腕の小さなホクロを犬が食べてしまった。

　どうやら昨夜、わたしが眠っている時、ポッキーは顔の皮膚まで散歩に来て、空腹を満たすために目もとのホクロを食べてしまったらしい。

　その話をすると、山田さんは笑いをかみ殺しながら、ポッキーのために大きな肉の刺青を彫ってくれた。彼女はまだ修業中だったが、一応、刺青を彫るための知識はもっており、わたしは実験台というわけだった。

　漫画に出てくるような、巨大な骨付肉の刺青が完成した。ポッキーよりも大きな肉だった。はたして食べてくれるだろうかと心配したが、杞憂《きゆう》に終わった。ポッキーは犬らしくがつがつと食べ、三十分ほど目を離しているうちに右足の方へ、食後の散歩に出かけていた。満足そうな顔だった。彼の散歩コースは、左上腕から右の爪先に南下（頭を北と考えた場合）し、背中をぐるっとまわって帰るというものだった。

「わたしのような素人《しろうと》の料理を食べてくれるなんて、いい犬だ」

　山田さんはそう感動したが、わたしは少し不機嫌になっていた。

「今度から、骨は無しにしてくれよな」

　ポッキーは骨まで食べなかった。結果、皮膚に白い骨の刺青だけが残っていた。しばらくするとポッキーは、骨の刺青をどこかへ運び去った。きっと、大事なおしゃぶりをだれかに取られないように、わたしの皮膚のどこかに隠したのだろう。

顔に隠すのだけはやめてくれ、そして糞《ふん》もしないでくれ、と密《ひそ》かに祈った。

次の日、家族四人でドライブに出かけることになった。月曜日なので、わたしは学校があったのだが、休んでもいいという許可が両親から出た。いつだったか、理由もなく学校を休んだ時、父はわたしのだらしない生活態度を指摘して、苦しめたくせに。

海の方へ行くそうだが、本当は気乗りがしなかった。死の宣告を受けた三人とドライブなんて、それはもう暗くてつらいものになるだろうと思っていたからだ。また、ドライブと偽《いつわ》ってわたしを連れ出し、そのまま四人で車ごと海へダイビングするのかもしれない。一家心中するなら、三人でやってほしい。

しかし、そういったわたしの不安は、ことごとく外れた。彼らは普通に、ドライブを楽しんでいた。どこにでもあるような風景に目を奪われ、さしておもしろくもない話題で笑っていた。車内で陽気なおしゃべりが絶えることはなく、常にだれかがしゃべっていた。

雰囲気を壊したくなくて、わたしも始終にこにこしていた。そのうちに、三人がもうすぐ死んでしまうことを忘れ、このドライブが永遠に続けばいいのに、とさえ思うようになっていた。

岬を四人で歩いた。海からの風が強く、服がばたばたと震えた。

彼らは長い時間、海を眺めていた。いつまでも見飽きないらしく、二時間たっても三人は動こうとしなかった。はたから見れば、三人とわたしは家族ではないように見えたかもしれない。両親とカオルは、それほど意気投合して、同じものに心を奪われていた。

すっかりわたしは退屈し、ベンチでジュースを飲みながら、半分、眠りかけていた。

「海を見ないの？」

いつのまにか弟が隣に座っていた。

「わたしには、どこが楽しいのかわからん」

「それは人間としてのレベルの差だ」

むかついたりはしなかった。むしろわたしは、顔に笑みが広がってしまうのを抑えられなかった。それほど気分がよかった。

「わたしは結局、親の愛情を最後まで弟に奪われたままなんだ」

「本当にそうかな、ぼくには逆に思えていたけど」

「なんで？　わたしはシゲオから、小言しか言われなかったよ」

「ぼくは、小言も言われなかったよ。基本的に頭がよかったから」

帰りの車内で、その会話を頭の中で繰り返した。どうしても、弟が言ったようには感じられなかった。

しかし、そのことを抜きにして、わたしはドライブを楽しんでいた。家族が癌であることを知って以来、こんなに強烈に、みんなに死んでほしくないと思ったことはなかった。胸が苦しかった。それを忘れるように、わたしは馬鹿なことを言って、みんなを笑わせようとした。普段はめったに笑わない父シゲオも、おかしそうにしていた。なぜか逆に、胸の痛みは強くなった。

わたしたちは家族なんだと実感した。ひさしく忘れていた感じだった。

途中、ドライブインで食事をした。

手術を受けてよ。助からないかもしれないけど、もしかしたら回復するかもしれないじゃない。そう言いたかったが、できなかった。それを口にすることで、わたしたちにかかっていた魔法がとけてしまうんじゃないかと思えた。

半年後にわたしが一人きりになるなど、その場の雰囲気とギャップが激しすぎて想像できなかった。正直なところ、不安で、足が震えそうだった。

4

父シゲオは、何をするにしてもお金が必要だと言った。ただ一人だけ残されるわたしが十分余裕をもって生きていくのにも、多くの費用がかかる。だから、あまり見込みのない手術にお金を割《さ》くわけにはいかないらしい。

もしもわたしのポケットに大量の札束が入っていたら、有無を言わせず手術を受けさせている。しかし残念ながらポケットは空っぽだ。

わたしはコンビニでバイトをはじめた。三人分の手術の費用を稼ぐのは無理だとわかっていたが、いつかは一人で生きていくことを考えると、何か仕事をしなければならない気がした。今まではミサエにお小遣いをもらうことで収入を得ていたが、この先、それはできなくなるのだ。

「高校を卒業したら、大学へは行かず、働くことにするよ」

山田さんにそう伝えた。彼女はわたしの腕に肉の刺青《いれずみ》を彫りながら、ただうなずいた。刺青に全神経を集中しているようで、わたしの方を見なかった。

腕にちくちくとした痛みが続き、やがて店の鳩時計が八時をうった。間抜けな鳩の声が繰り返される。

わたしはしばしば、ポッキーの餌を山田さんに彫ってもらった。お金をとらなかったし、彼女の父親は七時半以降に限り、刺青を彫るマシンを自由に使わせてくれた。毎回、山田さんに刺青を彫ってもらっていると、あの間抜けな鳩の声を聞くはめになった。

彫り終えたばかりの肉の刺青は、さしずめ生肉のようだ。数日たてば、いい色の刺青になるだろうが、ポッキーはおかまいなしに、完成したばかりの刺青肉にかぶりついてしまう。肉の絵が彼のおなかにおさまってしまうと、まるでそんな刺青は最初から存在しなかったように、消えてしまう。彫った時の痛みまで、すっと消えていく。

彼は糞《ふん》をしなかったので、わたしはおおいに安堵《あんど》した。

犬の世話には、手間がかかった。彼は遊び好きで、よくわたしの気を引こうとした。バイト先のコンビニでレジをうっている時や、授業中、急に吠えて驚かせる。左上腕の彼を見ると、お願い遊んで、と懇願《こんがん》する瞳でわたしを見ていた。そんな時、わたしのまわりにいる人々は、どこから犬の声が聞こえたのかと、まわりを見回して不思議がった。

たまに度が過ぎてポッキーが吠えまくることがあった。わたしがコンビニで商品を並べていた時のことだった。小声で、「静かにしなさい!」としかっても、彼は逆に楽しそうな声をあげた。店にいた客は、さすがに様子がおかしいことに気付き、犬の声が止《や》まない店内を奇妙がった。

肌をつまんで、ポッキーをつかまえようとしたが、だめだった。まばたきをした瞬間に、するりと犬は逃げてしまう。刺青の犬をつかまえるなど、無理なことだった。

彼はまた、おあずけはもちろん、お手さえもできなかった。たまにわたしの言うことをきいて、左上腕におすわりをすることはあった。しかし、何かしつけようと声をかけても、首をかしげてきょとんとした目を向けるだけだった。溜め息まじりに見ていると、まばたきの瞬間、彼はごろんと寝転がってあくびをしていた。

名犬ラッシーの賢さを1とすると、ポッキーの賢さはわたしの見たところ、1/100ラッシーだった。おまけに怖がりで、雷が鳴ったり、突然、大きな音がすると、不安そうにまわりをきょろきょろしてうなった。

彼に取《と》り柄《え》はなく、ただ餌を食べ、わたしに甘えるために吠えるという非常にだらしない生活を送っていた。わたしが学校で勉強し、コンビニで働いているというのに。

とはいえ、一度だけ彼は、冴えた一面を見せた。

あれは、ミサエの付き添いで病院へ行った時のことだ。彼女の検査は数時間におよび、あまりわたしは病院のまわりをうろついていた。そこは大きな病院で、本屋などもあり、あまり退屈はしなかった。

買ったばかりの漫画を、病棟の屋上で読んでいた。日当たりもよく、静かだった。洗濯された真っ白なシーツが、いくつも干されて、風にたなびいていた。

突然、ポッキーが鋭く吠えだした。最初、何が起きたのかわからなかった。まわりを見ると、老人が入り口付近で倒れていた。着ているものから、入院患者であることが推測できた。犬が吠えて知らせなければ、気付かないところだった。

持っていた漫画を投げ出し、近寄って声をかけると、彼は胸の痛みを訴えた。わたしはあわてて階段を下り、看護婦を呼んだ。頭の中では、犬のことを考えていた。

まさか、あのポッキーが人助けするとは。すごいぞ!

看護婦がかけつけてくるまでの間、老人のそばにいた。彼は苦悶《くもん》の表情を浮かべながらも、感謝の言葉を言い続けた。すっかり犬バカモードに突入していたわたしは、袖《そで》をまくり、老人に左上腕の刺青を見せた。

「感謝なら、こいつに言ってくださいよ」

犬の刺青を見せられた彼は、目を丸くしながら看護婦に運ばれていった。

5

家族とわたしの間には、おかしな溝ができていた。死を宣告された者と、生きることを宣告された者とでは、世界の見え方が違うらしい。

彼ら三人は、それぞれお互いに結び付きを感じているようだった。同じものを見て、同じように感じる。三人が固まって愉快な会話をしているところは、まるで慰め合っているようにも見えた。

三人は結束の固い家族のようだった。実際その通りなのだが、彼らの中に私が入れるような隙間《すきま》はなかった。

なぜか両親は、わたしにむかってだけ、日を追うごとに厳しくなっていった。父シゲオも、ミサエも、わたしのだらしない生活態度を改めさせようとした。

「今日はいい天気だから、窓を開けて、掃除をしなさい」

「わかってるよ、そんなこと。一々、言わなくてもいいじゃない！」

「言わないと、やらないでしょう！」

もうミサエには、甘えることもできなかった。少しでもだらしない部分を見せると、小言攻撃が開始された。

それは父シゲオも同じだった。彼はわたしを連れて、親戚の家をまわった。自分が動けるうちに、ただ一人残される娘のことを面倒みてくれるよう、親戚に頼み込むためだ。

親戚はシゲオの説明を聞くと、かわいそうにという目で彼を見た。微妙におもしろくなかった。哀れみがほしいのはこっちかもしれないと思いはじめていたからだ。そもそも、わたしは親戚の顔も、名前も、ほとんど覚えていなかった。彼らとの付き合いなど、面倒臭いだけだと思っていた。また、わたしは正直すぎて、愛想笑いのできない人間だったから、親戚中での評判は恐ろしく悪かったに違いない。

父シゲオと親戚のおばさんが会話をしている最中、退屈であくびをすると、彼は怒ってわたしの頭をつかんだ。

「どうもすみません。こんな奴ですが、どうかよろしくお願いします」

彼の腕におさえられ、無理やり頭を下げさせられた。よりによって親戚の前で怒らなくても、と自分の顔が赤くなるのがわかった。

「二人にとって、唯一の気掛かりは、きみのずぼらな性格なんだよ」

カオルが言った。

「そんなバカな！　わたしのように、正しい生活習慣を身に付けた女がそうそういるもんか！」

と、テレビのリモコンを足で操作しながら言ってみた。


ある夜、父と喧嘩した。些細《ささい》なことが原因だった。

すでにわたしは夏休みに入っており、昼夜が逆転したような生活を送っていた。わたしは夕方、目覚めると、三人が晩御飯を食べている横でお菓子を食べた。煎餅《せんべい》を包装していたビニールの袋を、もえるゴミに捨てたところ、父シゲオはそれが気に入らなかったらしく、いつものようにわたしをしかった。この地域では、ビニールはプラスチックゴミとして分別する義務があった。

「どうでもいいじゃない、ゴミの分別くらい」

そう言うと、父はあきれた顔で言った。まるで理解できない、といった表情だった。

「どうしてお前はそんなにかんたんなことができないんだね。分別していない家は、清掃局にゴミを引き取ってもらえないんだぞ。一人になった時、こんな調子で生きていけると思っているのか。カオルはちゃんと、わけて捨てているんだぞ」

弟の名前を持ち出されたことで、わたしは正体不明の怒りを感じた。それは悲しさだったかもしれないが、前後の見境いがなくなるほど動揺してしまった。

「どうしてそこで、カオルのことを言うのよ！」

当のカオルは、突然、自分の名前が出されたことに対し、複雑な表情を浮かべた。

「いつだってそうだった！　ずっと、わたしと弟を見比べていたじゃない！　どうせわたしは、カオルみたいに頭がよくないよ！」

声は思いのほか大きかった。自分の声に驚いて、わたしが数歩よろめくと、腕がテーブル上のコップを落としてしまった。ガラスが割れ、中に入っていたミルクが飛び散ると、わたしの動揺はさらに大きくなった。両親は驚いていた。

「わたしがいなくても、カオルさえいれば満足だったんでしょう？」

「何いってるの！」ミサエが声を出した。「そんなわけないじゃない！」

「じゃあ、どうしてわたしだけ残していくの？　親なんだから、わたしを育てる義務があるはずよ？　わたしだけ残していくなんて、あんまりだよ！　わたしも癌《がん》だったら一人にならないですむのに！」

乾いた鋭い音が、部屋に響いた。父シゲオがわたしの頬をたたいた音だった。

次の瞬間、わたしは駅前の中華料理屋で、メンマラーメンを前に座っていた。それはまるで、夢から覚醒したような、変な気分だった。

いつのまに家を飛び出したのか、どこをどう歩いたのか、いったいなぜメンマラーメンなのか、記憶はなかった。足を見ると、ちゃんと靴をはいていたのでほっとした。トイレで鏡をのぞくと、赤くはれた頬に、涙を流した跡を見つけた。

突然、吐き気を催し、わたしは吐いた。惨《みじ》めな気分と、押し寄せる後悔に、嗚咽《おえつ》が止まらなかった。

お金や携帯電話を持って出てこなかった。店の主人に十円玉を貸してもらい、店内の公衆電話から山田さんに電話をかけた。

彼女を待っている間、席につき、自分にむかって腹を立てた。

おいしそうな匂いにつられたのか、左上腕から犬の声がした。ポッキーはわたしの感情などおかまいなしに、無邪気な顔で吠え続けた。やめなさい、店の人に迷惑でしょう！小声で注意したが、彼はやめなかった。わたしは左腕をしっかりと押さえ、声がまわりに出ないように努力したが、犬の声は店内に響き続けた。

やめてよ、おねがいだから！　どうしてあなたは、ちゃんとできないの？　背中をまるめて刺青の犬に懇願しても、無駄だった。水のような鼻水が出た。それはわたしにとって、涙の出る前兆だった。

不安と困惑が一気に押しよせてくる。

犬の世話など、わたしには無理だということに気付かされた。一人で生きていくことすら怖いのに、もう一匹、責任を抱え込むなんて、できるはずがない。

餌を与え、ぐずった時には機嫌を取らないといけない。うなり声をあげないように面倒をみなければいけないし、退屈していれば遊んであげないといけない。

青い犬の刺青にむかって、わたしは諭《さと》すように言った。

「ごめんねポッキー、わたし、あなたを飼ってあげられないよ。自信がないんだ。すぐに、新しい飼い主を見つけてあげるからね」

彼は、わたしの言葉の意味が理解できたのか、クーンと悲しそうな声を出した。

駆け付けてくれた山田さんは、わたしの格好を見て驚いた。実を言うと、わたしはパジャマ姿だったのだ。

「わたし、犬を捨てる決心をしたんだよ」

涙声で彼女にそのことを伝え、左上腕を見た。ポッキーはいなかった。捨てられることを理解したのだろうか、彼は体表面上のどこかへ逃亡した。

6

山田さんに代金を払ってもらい、中華料理屋を出た。相談の結果、しばらくの間、彼女の家へ泊まることになった。道すがら、親と喧嘩をしたことや、犬を捨てることについて話し合った。わたしは今まで、ペットを捨てる人の気持ちがわからなかったが、今夜はわかるような気がした。心がささくれて、ひどく落ち込んだ。

彼女の家へは、電車に乗らないと行けない。終電まではまだ時間があり、意外と多くの人が駅を利用していた。パジャマ姿は恥ずかしかったが、しょうがないので人の少ない車両を選んで乗り込んだ。

「ポッキーを皮膚ごと、だれかに移植しようと思うんだ」

山田さんはしかし、難しそうな顔をした。

「そんなこと、本当にできるの？」

わたしたちは二人とも、皮膚移植の知識など持ち合わせていなかった。

「そもそも、犬の刺青《いれずみ》が彫られた皮膚なんて、もらってくれる人がいるのだろうか？　普通、犬の絵が気に入ったのなら、他人の皮膚なんてもらわずに、最初から彫るだろうし……」山田さんは慎重に言葉を続けた。

「もし、あなたがどうしても、ポッキーを体から追い出したいと思うのなら、いっそのこと、刺青を消してしまうという方法もある……」

わたしは首を横にふった。殺してしまうのは忍びない。飼っていた犬を保健所に引き渡すようなものだ。

「とにかく、皮膚移植のことや、刺青の犬を引き取ってくれる人がいないか、インターネットで調べてみるよ」

山田さんはそう言いながら、わたしの手をとると、立ち上がった。電車のドアが開くと、目的地の駅についていた。椅子から立ち上がる時、体が鉛のように重く感じられた。

「ウチに泊まるのはいいけど、やっぱり電話くらいした方がいいよ」

山田家に到着するなり、彼女はわたしに受話器を握らせた。わたしはうなずいたが、電話越しにですら、親と話のできる心の余裕はまだなかった。彼女を安心させるため、適当なボタンを押し、親と話をしているような演技をした。

お風呂を借りて裸になり、さっそくポッキーを探した。いつもなら名前を呼べば、ハッ、ハッ、と言いながら左上腕に現れるはずだった。彼は出てこなかった。

鏡を使って背中もチェックした。犬は見当たらない。おそらく彼は、常にわたしの視線を避けるように移動しているのだろう。そうなると、見つけることはまず無理だった。膨《ふく》れっ面《つら》をしている彼の表情が、見えるような気がした。

彼のことは放っておくことにした。どうせ、わたしの皮膚から外へ出ることはできないのだ。

次の日、山田さんの部屋でパソコンをいじらせてもらった。犬の刺青をもらってくれそうな人を探すため、インターネットに接続した。わたしはパソコンを持っていないが、使い方を教わってみると、案外かんたんだった。

「はっきりいって、期待しないほうがいいよ」

山田さんはそう言うと、刺青関係のホームページに直行した。『TATTOOのお部屋』

ということだった。

「なんで『部屋』なの？」とわたしが聞くと、

「とにかく、『なんとかの部屋』というふうに、『部屋』がつくんだよ」と彼女は教えてくれた。

そこはなかなか雰囲気のいい部屋で、玄関に立つとやわらかい音楽が聞こえてきた。玄関に立つと言っても、トップページに行ったという意味だし、音楽はパソコンのスピーカーから流れてきたものだ。しかし、わたしはこういうことに没頭するたちなので、実際、ネット内の住人になったような気がしていた。

壁紙は明るい青色、『いらっしゃいませ』と看板が出ており、いくつかの扉がある。扉と言ってもただの絵で、扉の向こう側に何があるのか一つずつ注釈がついている。

この部屋の管理人は、若いOLなのだと山田さんが説明した。管理人というのはつまり、この部屋の持ち主という意味なのだろう。

「伝言板に記入しておこうね」

彼女はそう言うと、『伝言板』と書かれた扉を手の形のカーソルでノックし、その部屋に入った。わたしは色々なものが珍しく、部屋中をきょろきょろと見回した。こういう場所になれきっている山田さんは、それほどのもんかね、という目をわたしに向けた。

扉の向こうには当然、伝言板があった。ここへ来た人のメッセージが残されている。過去の伝言を眺めると、刺青に関する情報が大量に並んでいた。

これから刺青を入れようと思っている人が、そのことで様々な質問を残しているのが目に付いた。『山田』という人物が、丁寧なアドバイスを返している。

「この『山田』ってのは」

「もちろん、わたしだ」

顎《あご》をかきながら、彼女は答えた。

「もうちょっと、別の名前を考えようとは思わなかったの?」ほかの人の名前を見ると、おもしろい名前が多い。ここでは、偽名を使って生活することができる。「よりによって、『山田』はないよ。そのままじゃん」

「ほっとけ」

彼女はそう言うと、だれか犬をもらってくれないかという内容の伝言を記入した。

「……名前はポッキー、オス、身長三センチ、毛並みは青色……」

まるで、町中の電柱にはってある貼り紙のようだった。

山田さんはその後、すぐに別の刺青関係のお部屋へ行きたがった。その類《たぐ》いの部屋がそんなにあるのかと聞いたところ、彼女はうなずき、それらの住所《アドレス》をわたしに教えてくれた。

「でも、その前に、もう少しここを見て回りたいよ」

すっかりここが気に入っていた。

「じゃあ、別の扉をたたいてみようか」

いったん、玄関に戻り、『ギャラリー』という扉をノックする。中に入ると、そこの壁には刺青の写真が数枚、飾られていた。部屋の持ち主というOLが、肌に彫った刺青らしく、写真の下に一つずつ説明や思い出が書かれていた。『このアゲハ蝶のタトゥーは、私が自分でデザインしたものです。失恋した次の日に彫りました……』とある。他のも読んでみると、この人が自分の刺青に対してプライドと愛を持っていることが少しずつわかってくる。

「こんな部屋を作るくらいだから、このOLも刺青が好きなんだよ」隣で腕組みをして写真を眺めながら、山田さんが言った。「次は、『チャット』をのぞいてみようか。まあ、ほとんどの時間、だれもいないんだけどね」

彼女は『チャット』と書かれた扉をノックした。扉の下に、『みんなでテーブルを囲んで、おしゃべりをしましょうね』という短い注釈がついている。『チャット』というのはリアルタイムでだれかと話ができるところだと、山田さんからかんたんに説明を受けた。中に入ると、彼女の言葉に反して、人がいた。『時計兎《うさぎ》』という名前で、どうやら男の人らしい。いや、人というよりも、きっと時計を持った兎なのだろうが。

扉についていた注釈の通り、テーブルを想像してみた。部屋の真ん中にテーブルがある。時計兎がそこへ肘《ひじ》をついて、自慢の懐中時計を眺めている。そこへ山田さんが近付いていった。

山田「どうも、おひさしぶりです」

時計兎「やあやあ、ここで会うなんて、めずらしいなあ」

二人はしばらくの間、楽しそうに会話をした。おそらくこんな方法で、情報を集め、人脈を広めているのだろう。わたしも同じテーブルにつきたいが、話をするためのキーボードは一つしかない。

やがて、山田さんが会話を切り上げようとした時、その兎は意外なことを口にした。

時計兎「そういえば、犬の刺青の話、しってる？　ある人が、犬の刺青をした女の子ディスプレイの前で、わたしと山田さんは目を見合わせた。

時計兎「なんでも、先月、病院で死にかけたところを、ある女の子に助けてもらったそうだよ。でもその人、助けてくれた女の子に名前を聞くのを忘れたんだ。その子は犬の刺青をしていたそうで、今、その人の部下が、刺青関係のお部屋で犬の刺青に関する情報を集めているらしいんだ。ちょっとした話題なんだよ」

情報を集めている連中について、山田さんがたずねた。刺青の少女に助けられた人物というのは、わたしでさえ名前を聞いたことのある某有名会社の社長だった。その社長、命の恩人を見つけて、お礼をしたいそうだ。

時計兎「きっとものすごいお礼だよ！」

山田「にんじん百本かもしれないね！」

時計兎「にんじん？　そんなものより、金だよ、金！　きっとお礼って、お金に違いない！」

刺青の少女というのは、高い確率でわたしのことだろう。差し出されるお礼のことを考えると、いてもたってもいられなくなった。あの時ポッキーが助けた老人に、家族のことを説明すれば、難しい手術の費用を出してくれるかもしれない。

わたしと山田さんはさっそく電車に乗り、老人の経営する会社へむかった。会社はわたしたちの住んでいる市にあった。うちのそばの病院に老人本人がいたことから、そう遠くない場所に会社があることは予測していた。

まわりのビルと見比べてみても、特に大きな高層ビルだった。出入りするのはサラリーマンばかりで、入るのに勇気が必要だった。

受付の女の人に刺青の話をすると、彼女はうさん臭そうな目でわたしたちを一瞥《いちべつ》し、手元にあった受話器をとった。だれかを呼び出しているようだった。

やがて、眼鏡をかけた背の低い男が現れ、わたしたちはロビーに設置されているソファーへ案内された。

「刺青の少女の話は、どこでお聞きになりました?」

彼は丁寧な口調で質問した。インターネットで情報を仕入れたと、山田さんが答えた。

「実は、私、犬の刺青をした女の子が、本物かどうかを見分けないといけないのです」

男の説明では、この情報があまりに広く刺青界に知れ渡ったため、偽者《にせもの》が名乗り出るようになったそうだ。

「だから、どんな犬の刺青なのか、体のどこに彫ってあったのか、という情報は、ふせてあるのです。わたしは社長から、命の恩人である少女の刺青に関してよく聞かされています。もし本物以外の人間が、適当な刺青を見せて自分が命の恩人であることを主張しても、すぐに偽者だと判断できるわけです。それでは、さっそく、刺青を見せていただきましょうか」

わたしは困惑した。見せろと言われても、青い犬の刺青は逃げ出して隠れたままだ。

「今はちょっと、見せられません。理由があるんです。でも、わたしがその刺青の少女なの。きっと、社長さんに顔を見ていただければ、わたしのことを思い出してもらえるはずです」

男は溜め息を吐《つ》いた。わたしを偽者の一人と判定したらしい。

「刺青って、青い犬の刺青でしょう? 左の腕に彫ってあったのでしょう? こんな情報、本人しか知り得ないですよね?」

男は少し驚いた顔をして、うなずいた。

「たしかにそうです。しかし、実際に見せてもらえないことには……」

ビルを追い出された。わたしはなんとしてもお金が欲しい。帰りの電車の中で、刺青の犬、捕獲作戦を練った。


まず、餌でつってみることを考え、実行した。山田さんがわたしの左上腕に肉の刺青を彫り、ポッキーが現れるのを待つのだ。食いしん坊の彼は、きっと現れるに違いない。

いつものように、山田さんが刺青の骨無し肉を、左腕に彫ってくれた。

わたしは椅子に座り、テーブルに左の肘を載せて、上腕に描かれた肉の絵が見やすいように調節した。

しかし、肉の刺青が完成しても、長い間、彼は現れなかった。わたしは監視することに疲れはじめ、注意力が散漫になっていた。

肉を見る。まだポッキーはいない。目を逸《そ》らす。同じ行為を繰り返した。

二十分ほどたった時のことだった。わたしがほんの数秒間、目をはなしているすきに、肉の絵がきれいに消えてしまっていた。しまった、と思った時はすでに遅かった。

どうやらポッキーは、自分を捕獲しようというわたしの意図に気付いたらしい。

わたしが左上腕から目を離した瞬間を見計らい、餌をくわえて逃げ出したのだ。まるで、釣りをしていて、餌だけ持っていかれたような気分だ。

「でも、いつのまに、肉の刺青の側《そば》まで近付いていたのだろう」

わたしは疑問を感じた。彼の足はそう速くない。いきなり現れて、突然、消えることはできないのだ。せいぜい、一秒間に十センチしか移動できまい。

「わたしたちの見ていなかった腕の裏側を利用したんじゃないかな。肉を持って逃亡するのに、もっとも効率のよい逃げ道は、肉をくわえて腕の裏側に逃げ込むことだよ。彼にとっては、見られない場所に隠れてしまえば、後は逃げることなんてかんたんなんだ。こっそり見えない場所を移動して、左上腕の裏に潜む。だれも見ていない瞬間を見計らい、表に出て肉をくわえ、また裏に逃げ込む。餌を得るための最短距離は、腕一周分だったんだ」

体のどこかから、「わん」という声が聞こえた。わたしたちをバカにするような声だった。

くっそー。人間をバカにしやがって、と思った。

わたしたちは次に、ポッキーの偽者を作ることにした。青い犬の刺青が左上腕にあれば、それが本物の彼でなくても、会社の社長をだましおおせることができるに違いない。

山田さんがわたしの左腕に、ポッキーのダミーを彫った。細部にいたるまで、本物そっくりだった。ただし、肌に刺青を入れた直後は、やはり色がおかしい。ちゃんとした色に定着するまで、数日がかかるだろう。

わたしたちは、数日後にもう一度あの会社へ行くことにしたが、わずか十分後にその必要はなくなった。

ポッキーの偽者が、いつのまにか左上腕から消えていた。探すまでもなく、偽者はわたしの太股《ふともも》ですぐに見つかった。わたしは短パンをはいていたのだが、二匹の青い犬が左の太股に並んでいた。どうやらポッキーは、左上腕に描かれていた自分そっくりの犬にかみ付き、太股まで引っ張ってきたらしい。

太股にある犬の刺青を見せても、わたしが命の恩人だとは信じてくれまい。わたしたちには、太股に移動させられた刺青を、左上腕にもう一度、持ってくる術《すべ》などなかった。

ポッキーはこちらの思惑をすべて理解しているのか、わたしの方を見ると、歯をむきだして笑いやがった。

山田さんの家に、ミサエから電話がかかってきた。まだ家に連絡をしていなかったのだが、彼女には、わたしの居場所の予測はついていたらしい。

「カオルがもうじき、入院することが決まったそうだよ」

電話で聞いた内容を、山田さんに伝えた。彼女は、自分の飼っている犬のために、餌の缶詰を開けていた。

わたしは焦《あせ》りはじめていた。わたしが命の恩人だという証明ができれば、会社の社長さんに手術の費用を肩代わりしてもらえるかもしれない。そうなれば、家族のためにできるだけの治療が施せる。もし、そうなった時、きっと両親はわたしのことを見直してくれるにちがいない。

しかし、どうやってポッキーを左上腕におびき寄せればいいのだろう。そして、二度と逃げないように、そこで固定させておく必要がある。まばたきをせずに、ずっと犬を見ていれば、彼が動くことはない。しかし、たとえ二人がかりでやろうとしても、まばたきをせずに犬から目を離さないというのは無理そうだった。歩いているうちに、あるいは電車に乗っているうちに、犬の絵から目が離れてしまうだろう。

それ以前にまず、おびき出す方法がわからない。こちらが必死におびき出そうとしていることに、彼はおそらく気付いている。

犬を思い通りに操ることは、難しいことなんだと改めて思う。わたしには犬のしつけなんて無理なのだろう。自分が本物の犬を飼っている場面を想像してみた。散歩する際、首輪につけたひもを引っ張っても、犬は思った方向に進んでくれないに違いない。

山田さんは缶切りで、缶詰をキコキコいわせていた。マービンはその音を聞き付け、すでに涎《よだれ》を垂らし、ひものゆるす限り彼女に近寄っていた。彼の首輪には黒いひもがつけられ、犬小屋につながれているのだ。

はっとなった。ポッキーに餌を与えていた時のことを、細かく思い出していた。たしか刺青を彫るマシンは、午後七時半以降しか自由に使わせてもらえなかった。したがって、刺青を彫り終える時、毎回、あの音を聞かされるはめになったじゃないか。

時計を見ると、五時になりかけていた。マービンにおあずけをしてもらって悪いが、わたしは山田さんの首根っこをつかみ、店の方へ連れて行った。

「どうしたの?」

「わたし、ポッキーをおびき出す方法を考えたんだよ。犬の学習能力を信じるんだ」

椅子に座り、山田さんに刺青を彫る用意をさせた。

鳩時計の長針が十二のところを指すと、からくりが動きだし、白い鳩が現れる。いつもポッキーに餌をあげる時に聞かされた、例の間抜けな声が響く。

左上腕を見た。そこには涎を垂らしたポッキーが、おすわりしていた。鳩の声を聞いた途端、飼い主から逃げていたことも忘れ、つい、いつものように左上腕へ出てきてしまったのだ。

パブロフの犬、バンザイ。わたしは山田さんに、ある刺青を彫ってもらうように依頼した。それはおそろしく単純な刺青で、短時間の作業ですむはずだ。その間、わたしたちは、彼が動けないよう、交互にまばたきをした。

7

次の日、わたしと山田さんは再度、会社を訪れた。あの時の背の低い男はわたしたちを見ると、「また来たのか」という迷惑そうな顔をした。しかし、わたしが左上腕の刺青《いれずみ》を見せると、快くロビーの奥にあるエレベーターへ案内してくれた。

「ところで、一つ、お聞きしてよろしいですか？」最上階へむかうエレベーターの中で、男が尋ねてきた。

「私が説明を受けたところでは、犬の刺青に首輪やひもなどはなかったそうですが……」

ポッキーは今、首輪をしている。首輪からのびたひもは、側《そば》に立てられた杭につながっており、彼をしっかりとつなぎ止めていた。犬は幾分、ふてくされた顔をしていた。

「ええ、最近、ひもの刺青を付け足したんです」

「どうしてですか?」

「……犬が逃げ出さないように」

彼は片方の眉をあげ、女子高生の考えることはわからんと言いたげだった。

おそらく社長室というところなのだろう。わたしたちはそこへ通され、ソファーに座らされた。おそろしくやわらかい、まるで底なし沼のようなソファーである。秘書らしき女性がケーキとコーヒーを持ってきた。本物の秘書を見るのははじめてだったので、「サイン、もらっとくか」と、わたしたちはささやきあった。

扉が開いて、老人が現れた。あの時、病院で助けた男の人だった。彼はわたしを見ると、顔にしわを作ってほほ笑み、向かい合わせに座った。

「わたしのこと、覚えてらっしゃいますか?」

彼は何度もうなずいた。

「ええ、覚えていますとも。あなたは、わたしが礼を言う前に行ってしまった。名前もわからず、手掛かりといったら、あの犬の刺青だけだったから、苦労しましたよ」

彼は大会社の社長という雰囲気ではなかった。そのせいもあって、わたしたちは気軽に世間話をした。

彼は心臓の手術で、あの病院に入院していたらしい。わたしが助けを呼ばなければ、手遅れで死んでいたそうだ。また、彼には、わたしたちと同じ年頃の娘がいるらしい。彼は見かけよりも若いのかもしれない。

わたしは家族のことを話した。助かる見込みはほとんどないが、手術の費用があればすぐにでも手術を受けさせたいこと、そうしなければ、半年後には確実にわたしは一人になってしまうだろうことなど、彼は真剣に話を聞いてくれた。そして、手術の費用を肩代わりしてくれることを、彼は約束した。

わたしは満足した。この話を両親にしたら、どんなにびっくりするだろう。うれしがって、わたしのことをすごく好きになるかもしれない。

「そう言えば、腕に刺青を彫っていること、ご両親はご存じなのですか?」

彼はそう言うと、カップを口に運んだ。手首に重たそうな金色の時計が見えて、わたしはどきりとさせられた。

「いいえ、教えていません」

かぶりをふると、彼の顔からわずかに笑みが消えた。

「それはいけません。あなたの体は、親からもらった大事なものですから、そんなに軽々しく刺青を彫るのは感心できません」

まるで先生のような口調である。

「ええ、そうかもしれません。親からもらった大事な体です。でも、わたしの体でもあるんです。確かに、犬の刺青を入れた時、軽々しい気持ちでしたが、今は本当によかったと思うんです」

「しかしね、そんな犬の絵で体を汚すようなことはしてほしくないものです。ご両親も、きっとそう思うはずですよ」

山田さんは何かを言いたそうにしていたが、これまでの話をふいにしてしまうのがいやだったのか、だまっていた。部屋にあった空気の色が、急激にあせてきたような気がした。気持ちがしぼみ、楽しくなくなった。

「あなたの言う通り、両親は怒りだすかもしれません。でも、わたしはこの犬の刺青に対して責任を持とうとがんばりました。犬の絵で体が汚れたと感じたことはありません。刺青のことを悪く言わないでください」

彼の表情は険《けわ》しさをました。

「きみは、おしゃれのつもりで犬の刺青を彫ったのだろうが、数年後、腕の刺青を見るたびに、後悔するに違いない。その若さで、責任などという言葉が出てくるとは思わなかったよ」

悔しかった。ポッキーのことを否定的に言われるたびに、わたしは弁護した。この左腕の犬について、彼はわかっていない。たしかにポッキーはちゃんとしたしつけがされていない、弱虫で、食いしん坊、時々、手のつけられないほど吠える。でも、あんた自身の命を助けたじゃないか。

「わたしの犬のことを、悪く言わないでください。刺青を彫るなんて、あなたにとっては理解できないことかもしれません。でも、わたしがそうしたかったから、そうしたんです。後悔したって、いいじゃないですか！」

わたしの声はいつのまにか涙声になっていた。なぜか、ポッキーのことを考えると、たまらなくなった。もし彼がいなければ、半年後には一人になるという不安に押しつぶされていたかもしれない。彼は手のかかる子供だったが、その分、わたしを勇気づけてくれた。どこへも行かず、わたしの肌の上で、いつもわたしを見ていてくれた。

急に理解した。わたしはポッキーが好きだ。今まで気付かなかったが、彼から多くのものをもらっている。それなのに、捨ててしまおうとするなんてバカだった。犬を飼うという責任に負けそうになっていた。

「わたしはこの犬を、本当に愛しているんです、だから、悪く言わないでください！」

犬を手放したいという気持ちは消えていた。これからどんなことがあっても、わたしはポッキーを飼う。まわりから見れば、ただの犬の刺青かもしれないが、わたしにとってはかけがえのないものだ。そう考えると、涙腺が壊れた。

今、ようやく、ミサエやシゲオの気持ちに触れたような気がした。わたしはポッキーと同じように、よくできた子ではなかった。それでも、わたしが犬に対して胸をつきあげてくるような切ない感謝の気持ちを感じるように、彼らも同じ気持ちをわたしに対して持っているのかもしれない。

「大丈夫？」

山田さんがわたしの肩に手を置いた。わたしは何度も嗚咽《おえつ》しながら、鼻水をだしていた。

両親に、なんてひどいことを言ってしまったのだろう。育てる責任があるのに、わたしを残していってしまうのはずるいよ、だなんて。犬を捨てないと決心した時、理解できた。表面上はあんな風だけど、彼らだってわたしを残していくのはつらいのだ。鈍感なわたしはそんなことにも気付かなかった。

お金を持って帰って、見直してもらおうなんてこと、バカな間違いだった。わたしがしなければいけないことは、やがて離れなくてはいけない家族の側で、少しでも長い時間をいっしょに過ごすことだった。

今のわたしのような無様な泣き顔を見慣れているのだろう。社長が冷静な顔で、

「困ったらすぐ泣く!」

と言った。

山田さんが彼にケーキを投げ付けたのは、わたしが彼の顔にコーヒーをかけるのとほぼ同時だった。

まわりの騒ぎにいろめきたったのか、左上腕で、ポッキーが吠えだした。杭につながれた彼が、わたしは不憫《ふびん》に思えた。もう、喧嘩はおしまいだ。

ビルを追い出される際、受付嬢に尋ねた。

「カッターナイフはありますか?」

彼女は、泣きはらしたわたしの顔を不審げに見ながら、カッターを貸してくれた。わたしはその場で刃を一センチほど飛び出させると、ポッキーをしばりつけていたひもを切った。それはつまり、左腕の肌をカッターで切り裂いたという意味だ。腕に赤い線ができ、刺青のひもを二つに分けた。

受付嬢に礼を言ってカッターを返すと、彼女は顔を真っ青にして、指でつまむように受け取った。

まばたきをした間に、ポッキーはとぎれたひもを引きずりながら、うれしそうに飛《と》び跳《は》ねていた。

8

半年後。

三人とも死んだ。立派なお墓を作ってあげることは、当分の間、できそうもない。

この半年はわたしにとって、非常に安らかなものだった。以前は気付かなかった親の愛情を感じ、どんな小言を言われても、腹がたたなかった。

「なあ、こんなこと、面と向かって言えないから頼むんだが、きみの知り合いのユウって人に伝えておいてくれないか」カオルが生前、病院のベッドの上で言った。「ぼくは、別に、あんたが嫌いってわけじゃなかったんだ、と、そう彼女に伝えておいてくれ」それが彼との最後の会話だった。

ある休日、山田さんとわたしは喫茶店にいた。

わたしがカオルの最後の言葉について話してみると、

「なかなか複雑なことをするんだね」

と彼女はおかしそうに目を細くした。

「ところで、赤い斑点は治ったのかい?」

彼女はバッグから大きな分厚い本を取り出した。

「赤い斑点?」

「そう、ずっと以前、話していたでしょう、肌に赤い斑点ができていたって。わたし、それをニキビだと言ったけど……」

「ああ、あれなら、ポッキーが食べてしまったよ。体中のホクロといっしょに、こいつ、肌にあるものなら何でも食べてしまうんだよ」

右手の甲で寝転がっている青い犬を、指の腹でなでた。彼は気持ちよさそうな声をだした。

山田さんは分厚い本をめくり、あるページに載っている写真を指差した。どうやら、皮膚の病気に関する本のようだ。彼女は最近、皮膚に関する勉強をはじめていた。彫師《ほりし》になるため、基礎知識程度はほしいのだそうだ。

「そうそう、この写真のような赤い斑点のできものが、数年ほど前から皮膚にできていたんだ。犬に食べられて、もう跡形もないけどね」

写真の注意書きを読む。『キノコ状真菌症：この疾患は普通皮膚に何年間もとどまっているが、最終的には体内臓器に転移をきたす』。

「皮膚がんの一種だよ。危ないところだったね。鈴木も、本来は死んでいたところだ。ポッキーに、感謝しないとね」

わたしはうなずき、何も考えてなさそうにいびきをかいている犬へ、頬をすり寄せた。

アメリカに行っていた中国人のお姉さんが、日本に一時帰国した。

一人暮らしにもようやくなれてきたわたしは、彼女に会うために山田さんの家へむかった。彼女に、犬の絵を間違えて彫ったことに対するささやかな苦情と、多くの感謝を言わなければならなかった。

「オッス!」

と挨拶した彼女は、あいかわらず美しかった。

わたしと山田さんは、彼女の彫った犬の刺青《いれずみ》が動きだしたことや、それにまつわることを話した。彼女はさほど驚きもせず、ただうなずいていた。

やがて、彼女はわたしの太股《ふともも》にある犬の刺青に興味を持った。山田さんの彫ったポッキーのダミーである。ポッキーそっくりの絵なのだが、こちらに魔法はかかっていないらしい。動きださずに太股でおとなしくしている。

「コノ絵、ワタシニ手直シサセテクレマセンカ?」

わたしは彼女のファンなので、もちろんOKだった。ベッドに寝かされ、もうなれてしまった痛みを太股に感じている間、わたしは山田さんにたずねた。

「メンマラーメンの代金、もう返したっけ?」

「いいよ、そんなの。そのかわり、以前に貸した三万円を返してほしいよ」

中国人の手直ししたダミーは、一見、どこも以前と変わっていないように見えた。しかし不思議とその犬が、メスであることがわかった。きっと微妙なバランスの違いなのだろう。それまで、その刺青になかった色っぽさを感じた。

「これは、ポッキーの彼女ですね?」

中国人のお姉さんは、満足そうにうなずいた。

彼女は三日後にアメリカへ帰っていった。もう死んでしまったそうだが、彼女の祖父がアメリカで骨董屋を営んでいたそうで、彼女自身、アメリカ育ちだという。

ある朝、二匹の犬の声で目が覚めた時、彼女に苦情を言いたくても、すでに日本にはいなかったわけである。

エピローグ

拝啓　初春にふさわしい穏やかな日が続いています。わたしが一人暮らしをはじめて、すでに季節が一回りしてしまいました。

最初は一人きりの生活が寂しかったのですが、今では犬といっしょに自由気ままな毎日を送っています。

わたしが刺青《いれずみ》を入れたことを告白した時、お父さんはあまり怒りませんでしたね。困った顔はしていたけれど、許してくれました。わたしはそれがうれしくて、今でも心から感謝しています。

ところで、どうしてこの犬の刺青は動き出してしまったのでしょうか。刺青を彫《ほ》った彫《ほり》師《し》の方が、魔法使いだったのでしょうか。わたしはこれまで、そのことについてあまり考えませんでした。

でも、最近、こう思うようになりました。ポッキーは、わたしが大丈夫なんだということを、わたし自身に知らせるために、神様が遣わせたのではないかと。わたしはずっと、弟への劣等感と、親に気に掛けてもらっていないという錯覚で、寂しかったよ。ありがとう神様。

ところで、しばらく前から、ポッキーには彼女ができました。名前は『オレオ』。二番目に好きなお菓子の名前からいただきました。ちなみに、一番好きなお菓子は……、もう、わかりますよね？

親友の山田さんは、父親の下で彫師の修業をしています。すでにその辺にいる並の彫師より、いい腕を持っています。

書きたいことはまだたくさんあるのですが、今日はこれくらいにしておきましょう。

わたしは、いまだに親戚の人と上手に付き合えません。料理もへたくそで、朝、きちんと時間どおりに起きられません。失敗ばかりやって、本当にどうして自分はこんなにダメなんだろう、と落ちこみます。

でも、大丈夫。わたしはまだがんばれます。生前、わたしの家族でいてくれて、本当にありがとう。お盆にはみんなで帰ってきてください。

敬具

二月五日

鈴木ユウ

鈴木　シゲオ
　　　ミサエ　様
　　　カオル

追伸　今、わたしの左腕は大変なことになっています。最近、生まれた子犬たちがうるさいのなんのって……。

END

解　説

定金伸治

語りえぬひとについて語らねばならない。

ご依頼を受けて以来、乙一さん（友人を「乙一氏」と呼ぶのも照れくさいので、さん付けにさせていただく）の作品解説を書くよろこびをしみじみと感じていたのだが、これが相当の難事であることにいまになって気づいた。

と言うのもこのひとは、その有りようの位置を一個のことばで把握させないような、独特のゆらぎというものを持っている。ことばでかれの居場所を正確に記述しようとすると、かれの存在はそこからぶれてしまうのだ。多分にケレンを含んだ表現をするなら、量子的といったところだろうか。波であり粒子であるような性質。位置を特定すると運動量が不確定となるような性質。そんな感触がある。

たとえば。

天才と言い奇才と言ってかれの作品を把握しようとすると、黙々と努力する性質が表面にたちのぼってくる。

逆に努力家として作品を分析しようとすると、その天性のセンスに圧倒されてしまう。

そうしたひとなのである。

作品の性質を見ても、ミステリでありホラーでありジュブナイルでありファンタジーでもある……という面があるのは、だれもが認めるところだろう。

ものがたり自体にも同じことが言え、そのおもしろみの性質は、ひとつのことばでは容易に捉えることができないようになっている。怖いから愉しい。せつないから愉しい。トリックが愉しい……。そのようにひとつひとついくら列挙していっても、かれの作品のおもしろみは、かならずそこから少しずつずれている。

結局のところ、おもしろいもののおおよそを要素とした集合について、それを「乙一的なもの」と呼ぶほかはないような気がしてくる。「おもしろいものがたりを書くひと」としか言い難いのではないか。

そのように思われてしまうのだ。

だから、乙一さんの作品解説は難しい。ぼくが余計なことを付記して、作品のおもしろみを濁らせてしまうことになるのではないか。それが心配である。
そうしたおそれのあることを知りつつ、乙一さんの作品について浅慮を述べさせてもらおうと思う。

今回文庫化された『平面いぬ。』には、次の四作品が収録されている。
『はじめ』（初出：jump novel vol. 14　1998年5月3日号）
『BLUE』（初出：jump novel vol. 15　1999年5月1日号）
『石ノ目』（初出：jump novel vol. 16　1999年9月25日号）
『平面いぬ。』（初出：単行本『石ノ目』書き下ろし　2000年7月刊）
この四作品は、乙一さんがちょうど大学に進学した時点以降に執筆された。これ以前にかれが書いた作品は、ぼくの知るかぎりでは『夏と花火と私の死体』『優子』『A MASKED BALL――及びトイレのタバコさんの出現と消失』『天帝妖狐（J－BOOKS版）』のみである。
節目というものからの影響があったとはあまり思えないが、前四作と今回の作品とでは、そのものがたりのえがき方に、かなりの変化が生じていることがわかるだろう。

前四作では、まず天性あり、の表現と演出の形式であった。その独特の美意識に彩られた魅力的なエピソードを直列に並べ、最後にミステリ的解決を付与して、各エピソードを伏線とともに有機的に結合する。われわれは特に、その「天然」の美意識にしびれたのだった。

ところが『はじめ』以降では、ことばの並び（表現・演出）が、読むひとのこころの要素をどれほどの距離だけ動かし、どのような方向に向かって進ませるか、ということに関して非常に意識的になっている。

たとえば『はじめ』であれば、空想の少女と出会い、そして別れに至るその経緯において、それまでの作品にはないようなドラマの展開と転回を演出している。起伏の振り幅が、より大きく、より丁寧になっているのである。主人公はヒロインの存在におどろき、危機によってこころを通わせ、数年の時の中でこころに影響をおよぼしあい、そしてまた危機によってこころの結びつきを強める。

そうした演出のすべて、起伏のすべてが、最後の別離で読者が感じるしんとしたいたみに繋がるようになっている。ここでは天性をそのままに提示して並べることをやめ、ミステリ的解決からは一定の距離を取り、読み手をいかにして感情移入させるか、という一点に、ストイックなほど誠実になっているのである。またそれ故に、「清楚だけどじつは暴力的な宮下昌子」「本当はいいひとだった骨川さん」「垂早苗」といった、ドラマに直接の影響をおよぼさないキャラクターづけというものは慎重に排除されるようになった（ただ、この要素は『GOTH』〈角川書店刊〉において違った形で復活した）。

さらには、われわれが読んでいる間中、ある種の懐かしさやうつくしさをおぼえるのも、読み手がそのように感じることを明らかに意識した上で、このひとは書いている。まったくもっておそるべき技巧である。以降の作品でよく言われるようになった「せつなさ」という要素も、じつはこのようなこころに働きかける技巧の上に乗っていることがわかるだろう。かれは天性のひとであり、なおかつ天性のひとではないということだ。

とにかく、この作品集は乙一さんの著作の中でも、特に大きな転機を示しているものであることは間違いない。作者の成長というものが作品に対してどのような影響をおよぼすか。そうした「意地の悪い」読み方もできるといった点で、たいへん興味深い作品集であるとも言えるだろう。

それにしても、乙一さんは今後どのように変わっていくのだろうか。

前述したように、「おもしろいものがたりを書くひと」であることは変わらないだろう。しかし、読み手が増えるにしたがって、「純粋にミステリを愉しもうとして」読むひと、「純粋にホラーを愉しもうとして」読むひと……、それぞれ急増することと思われる。となれば必然的に、「おもしろいもの」として拡散している作品は、そうした読者ののぞみからは一定のずれを生じることになる。

もちろん、そうしたずれを表現や演出で補正する能力には長けておられるから、心配することはないと思う（というより、ぼくごときが心配せねばならないような器ではない）。ただ、あまりに多くののぞみに取り囲まれたり、作家賞などの性質による位置の固定などで、かれ独特のゆらぎが限定されていったとき、かれはどのような回避をみせてくれるのか。

『GOTH』のあとがきで、乙一さんは次のように書いている。

『リストカット事件』を書いたとき、知り合いのホームページの掲示板に、「せつなくない」「乙一のウリであるせつなさが感じられない」という感想があって憂鬱になりました。やばい、GOTHは失敗だ、とも思いました。同時に、「せつない」という言葉への軽い恐怖症にかかりました。
かれほどのひとをして、一度「せつない」ということばに位置を限定されかかったことがあるのだ。乙一さんがこうした網を今後いかにしてかいくぐっていくのか。ファンとして静かに見守っていきたいと思う。

さて——
ここからは打って変わって、乙一さんとのくだけた話でもしておくことにします。
この解説を引き受けたとき、その難しさに音を上げたぼくは、乙一さんに直接質問したことがありました。
定金「何か、こんなこと書いたらコロスよ、ってことはありますか」
乙一「……特にはありませんが、じゃあ、とりあえずオヤジギャグを書いたらコロします」
ぼくは正直、乙一さんにならぜひ殺されてみたくなりました。ベタ惚れですから。でも、どうしても殺されるほどに凄いオヤジギャグが思いつきませんでした。無念です。乙一さんらしい何か黒い方法で残酷に殺されてみたかったです。

また、解説といえば、拙作のシリーズものがお色直ししてこの集英社文庫から出るので乙一さんに解説をお願いしたことがありました。そのときに、次のような会話が冗談で交わされました。

乙一「ぼくは何巻の解説を担当すればいいのでしょうか」

定金「全巻やっていただいても結構ですよ。史上初の解説の連載です。前代未聞です」

乙一「いいですねえ。じゃあ、外伝を解説として連載するというのはどうですか」

定金「あ、言いましたね（にやり）。担当さんにメイルしておきます（にやり）」

ホントに担当さんに連絡してしまいましたよ乙一さん。いったいどんなことになってしまうのか楽しみです。はは。

ところで、先日乙一さんがぼくの住んでいる京都においでになったことがありました。そのとき、ぼくはこっそり、「乙一に育つ秘訣」というものを教えてもらいました。お聞きになりたいですか。

乙一「小学生のあいだは、やったことのないゲームの攻略本を読んで、ここでキックとかここでジャンプとか想像してそのゲームをやったつもりになる遊びを、六年間えんえんと一人でつづけていました。そのせいで、こんな人間になってしまったのです」

ぼくは、それはちょっとやばいなあと思いながら聞いていました。

乙一のようになりたいという方は、試してみるのもいいのではと思われたり思われなかったりするのです。

初出

「石ノ目」［jump novel］vol. 16（一九九九年九月二五日号）

「はじめ」［jump novel］vol. 14（一九九八年五月三日号）

「BLUE」［jump novel］vol. 15（一九九九年五月一日号）

「平面いぬ。」単行本書き下ろし

この作品は、二〇〇〇年七月、集英社より『石ノ目』の表題で刊行されました。
文庫化にあたり、改題しました。

集英社文庫　目録（日本文学）

落合信彦　モサド、その真実
落合信彦　石油戦争
落合信彦　英雄たちのバラード
落合信彦　ザ・スパイ・ゲーム
落合信彦　傭兵部隊
落合信彦　日本が叩き潰される日
落合信彦　ザ・スクープ
落合信彦　アメリカの制裁
落合信彦　ただ栄光のためでなく
落合信彦　二人の首領《ドン》
落合信彦・訳　第四帝国
落合信彦　男たちの伝説
落合信彦　謀略者たち
落合信彦　戦いいまだ終らず
落合信彦　狼たちの世界
落合信彦　アメリカよ！あめりかよ！

落合信彦　勇者還らず
落合信彦　狼たちへの伝言
落合信彦　崩壊①ゴルバチョフ暗殺 野望篇
落合信彦　崩壊②ゴルバチョフ暗殺 欲望篇
落合信彦　崩壊③ゴルバチョフ失脚
落合信彦　挑戦者たち
落合信彦　栄光遙かなり
落合信彦　終局への宴
落合信彦　戦士に涙はいらない
落合信彦　狼たちへの伝言2
落合信彦　そしてわが祖国
落合信彦　狼たちへの伝言3
落合信彦　ケネディからの伝言
落合信彦　誇り高き者たちへ
落合信彦　太陽の馬(上)(下)
落合信彦　映画が僕を世界へ翔ばせてくれた

落合信彦　烈炎に舞う
落合信彦　決定版 二〇三九年の真実
落合信彦　翔べ 黄金の翼に乗って
落合信彦　運命の劇場(上)(下)
ハロルド・ロビンス 落合信彦・訳　冒険者たち(上) 野性の歌
ハロルド・ロビンス 落合信彦・訳　冒険者たち(下) 愛と情熱のはてに
落合信彦　王たちの行進
落合信彦　そして帝国は消えた
落合信彦　騙《だま》し人《にん》
お茶の水文学研究会　文学の中の「猫」の話
お茶の水文学研究会　文学の中の「犬」の話
乙一　夏と花火と私の死体
乙一　天帝妖狐
乙一　平面いぬ。
小野寺公二　南部一揆の旗
小和田哲男　歴史に学ぶ「乱世」の守りと攻め

集英社文庫　目録（日本文学）

恩田陸	光の帝国　常野物語
恩田陸	ネバーランド
ダニエル・カール	ダニエル先生ヤマガタ体験記
開高健	オーパ！
開高健	日本人の遊び場
開高健／C・W・ニコル	野性の呼び声
開高健	風に訊け
開高健	オーパ、オーパ!!　アラスカ・カナダ　カリフォルニア篇
開高健	オーパ、オーパ!!　アラスカ至上篇　コスタリカ篇
開高健	オーパ、オーパ!!　スリランカ篇　モンゴル・中国篇
開高健	知的な痴的な教養講座
開高健／島地勝彦	水の上を歩く？
開高健	生物としての静物
開高道子	風説　食べる人たち
開高道子	ジャムの壺から跳びだして
海渡英祐	閉塞回路
海渡英祐	仮面の告発
海渡英祐	死の国のアリス
海渡英祐	罠のなかの八人
加賀乙彦	異郷
角田光代	みどりの月
景山民夫	ガラスの遊園地
笠井潔	道―ジェルソミーナ
笠原和夫	2／26
笠原和夫	福沢諭吉
樫原一郎	小説警視庁
樫原一郎	殺人指令
加地伸行	孔子
梶井基次郎	檸檬
梶山季之	のるかそるか
梶山季之	血と油と運河
梶山季之	罪の夜想曲
梶山季之	黒い船渠
梶山季之	小説GHQ
梶山季之	女の斜塔
梶山季之	苦い旋律
梶山季之	稲妻よ奔れ
梶山季之	ちりぬるを
梶山季之	見切り千両
梶山季之	敵はどいつだ　愛欲編
梶山季之	敵はどいつだ　復讐編
梶山季之	にぎにぎ人生　第一部(上)
梶山季之	にぎにぎ人生　第一部(下)
梶山季之	にぎにぎ人生　第二部(上)
梶山季之	にぎにぎ人生　第二部(下)
梶山季之	やらずぶったくり　やらずの巻
梶山季之	やらずぶったくり　ぶったくりの巻
梶山季之	鱶のような紳士

集英社文庫　目録（日本文学）

集英社文庫　目録（日本文学）

川上健一　宇宙のウインブルドン
川上健一　女神がくれた八秒
川上健一　このゴルファーたち
川上健一　フォアー！
川上健一　雨鱒の川
川上健一　ららのいた夏
川上健一　跳べ、ジョー！B・Bの魂が見てるぞ
川西政明　渡辺淳一の世界
川西蘭　パイレーツによろしく
川西蘭　どかどかうるさいRRC
川西蘭　ラヴ・ソングが聴こえる部屋
川西蘭　ルームメイト
川西蘭　ルルの館
川西蘭　港が見える丘
川西蘭　サーカス・ドリーム
川西蘭　林檎の樹の下で

川西蘭　バリエーション
川西蘭　ひかる汗
川端康成　伊豆の踊子
川村湊・他選　ソウル・ソウル・ソウル
菊地秀行　柳生刑部秘剣行
岸田秀・町沢静夫　自分のこころをどう探るか　自己分析と他者分析
北杜夫　船乗りクプクプの冒険
北杜夫　マンボウぱじゃま対談
北杜夫　人工の星
北杜夫　マブゼ共和国建国由来記
北方謙三　逃がれの街
北方謙三　弔鐘はるかなり
北方謙三　第二誕生日
北方謙三　眠りなき夜
北方謙三　逢うには、遠すぎる
北方謙三　檻

北方謙三　あれは幻の旗だったのか
北方謙三　夜よおまえは
北方謙三　渇きの街
北方謙三　ふるえる爪
北方謙三　牙
北方謙三　夜が傷つけた
北方謙三　危険な夏―挑戦Ⅰ
北方謙三　冬の狼―挑戦Ⅱ
北方謙三　風の聖衣―挑戦Ⅲ
北方謙三　風群の荒野―挑戦Ⅳ
北方謙三　いつか友よ―挑戦Ⅴ
北方謙三　愚者の街
北方謙三　愛しき女たちへ
北方謙三　傷痕　老犬シリーズⅠ
北方謙三　風葬　老犬シリーズⅡ
北方謙三　望郷　老犬シリーズⅢ

集英社文庫

平面《へいめん》いぬ。

2003年6月25日　第1刷

定価はカバーに表示してあります。

著　者　乙《おつ》　一《いち》

発行者　谷　山　尚　義

発行所　株式会社　集　英　社

東京都千代田区一ツ橋2―5―10
〒101-8050

(3230) 6095 (編集)
電話　03 (3230) 6393 (販売)
(3230) 6080 (制作)

印　刷　中央精版印刷株式会社　株式会社美松堂

製　本　中央精版印刷株式会社

ISBN4-08-747590-5 C0193